ヴィクトール・E・フランクル

夜　と　霧

新　版

池田香代子訳

みすず書房

EIN PSYCHOLOGE ERLEBT DAS KONZENTRATIONSLAGER

in ... *trotzdem Ja zum Leben sagen*

by

Viktor E. Frankl

First published by Kösel-Verlag, München 1977

夜と霧　目次

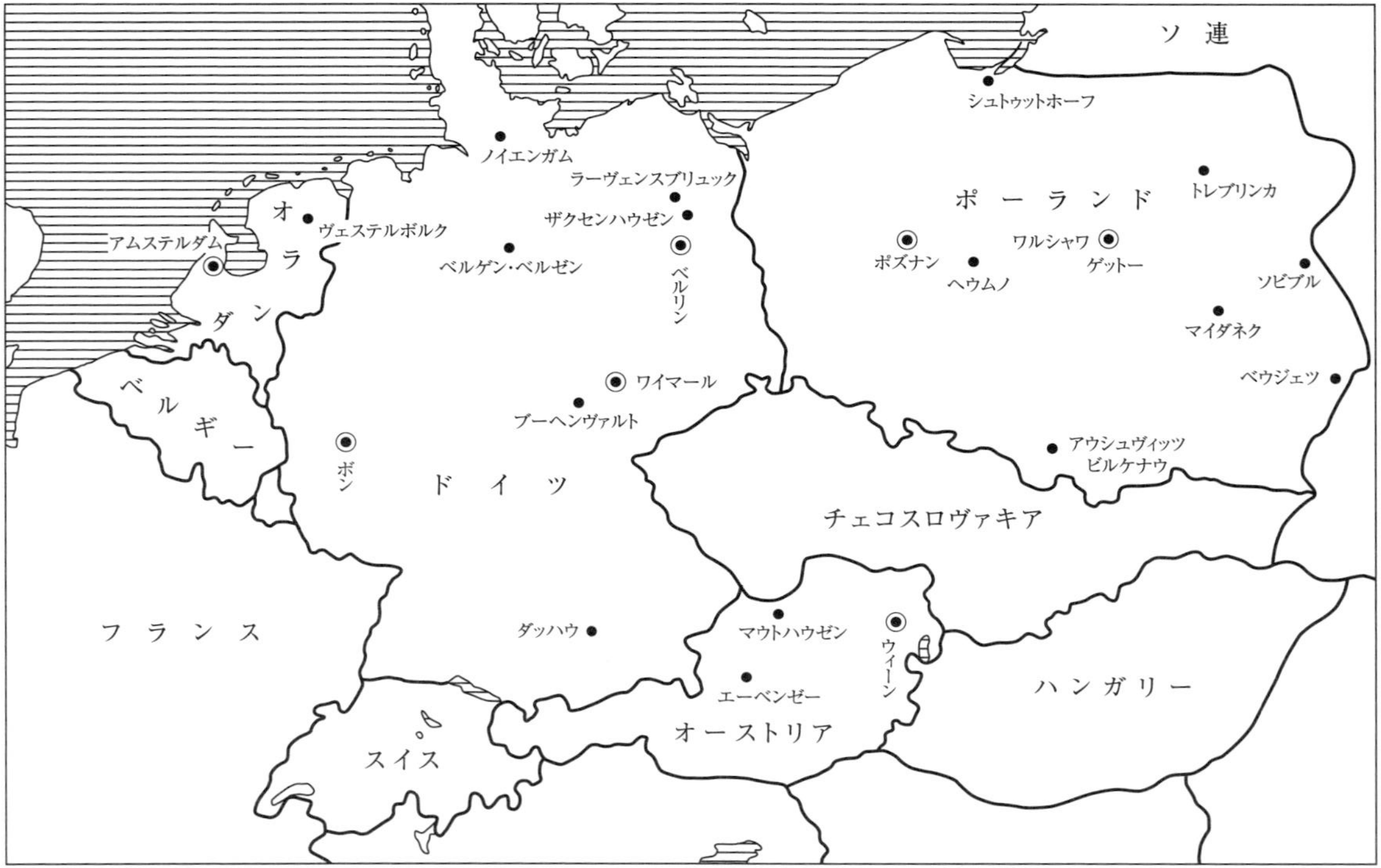

ドイツ強制収容所の主要所在地（●印）1933 - 1945

夜と霧

亡き母に

心理学者、強制収容所を体験する

知られざる強制収容所

「心理学者、強制収容所を体験する」。

これは事実の報告ではない。体験記だ。ここに語られるのは、何百万人が何百万通りに味わった経験、生身《なまみ》の体験者の立場にたって「内側から見た」強制収容所である。だから、壮大な地獄絵図は描かれない。それはこれまでにも（とうてい信じられないとされながらも）いくたびとなく描かれてきた。そうではなく、わたしはおびただしい小さな苦しみを描写しようと思う。強制収容所の日常はごくふつうの被収容者の魂にどのように映ったかを問おうと思うのだ。

あらかじめ断っておくが、以下につづられる経験は、あの有名な大規模強制収容所、アウシュヴィッツ強制収容所ではなく、その悪名高い支所にまつわるものだ。けれども今では、こうした小規模の強制収容所こそがいわゆる絶滅収容所だったことが知られている。

またここでは、偉大な英雄や殉教者の苦悩や死は語られない。語られるのは、おびただしい大衆の「小さな」犠牲や「小さな」死だ。さらには、年季の入ったカポーをはじめとするさまざまな「エリート」被収容者が耐え忍ばなければならなかったことや、彼らにしか語れないこともふれられない。ここで語られるのは、「知られざる」収容者の受難だ。特権を示す腕章をつけず、カポーたちから見下《みくだ》されていたごくふつうの被収容者が空腹にさいなまれていたあいだ、そして餓死したときも、カポーたちはすくなくとも栄養状態は悪くなかったどころか、なかにはそれまでの人生でいちばんいい目を見ていた者たちもいた。この人びとは、その心理も人格も、ナチス親衛隊《SS》員や収容所監視兵の同類と見なされる。彼らは、今、罪を問われているこれらの人びとと心理的にも社会的にも同化し、彼らに加担した。カポーが収容所監視兵よりも「きびしかった」こと、ふつうの被収容者をよりいっそう意地悪く痛めつけたことはざらだった。たとえば、カポーはよく殴った。親衛隊員でもあれほど殴りはしなかった。一般の被収容者のなかから、そのような適性のある者がカポーになり、はかばかしく「協力」しなければすぐさま解任された。

上からの選抜と下からの選抜

もしも強制収容所に入ったことのない部外者が、小規模収容所の被収容者のあいだに吹き荒れていた生きのびるための過酷な戦いに思いを馳《は》せず、収容所生活をセンチメンタルに思い描いて高《たか》をくくり、そんなにひどくはなかったのだと考えたなら、収容所の日常に間違ったイメージをもつことになる。日々のパンのための、あるいはただたんに生き延びるための戦いは熾《し》烈《れつ》をきわめた。自分自身のためであれ、あるいは友情でむすばれたごく小さな集団のためであれ、とにかくわが身かわいさから、人は容赦なく戦った。

たとえば、近く被収容者が移送される、一定数の被収容者が別の収容所に移されるらしい、と聞いたとする。わたしたちは、それはまやかしだ、と考える。なぜなら当然、その移送とは「ガス室送り」だと、選ばれるのは病人や衰弱した人びとで、労働に適さない被収容者が、ガス室と火葬場をそなえた中央の大きな収容所で抹殺されるために淘汰されるのだ、と憶測するからだ。とたんに、すべての人がすべての人を敵に回した抗争が、グループ同士の抗争が始まる。一人ひとりが、自分と自分の親しい者たちが移送されないよう、移送リストから「はずしてくれるよう嘆願する」ことに、ぎりぎりの土壇場まで死にものぐるいになる。だれかが抹殺をまぬがれれば、だれかが身代りになることははっきりしていた。この際、問題なのは数だけ、移送リストをみたす被収容者の数だけなのだ。一人ひとりはまさにただの数字であって、事実、リストには被収容者番号しか記入されなかった。

たとえばアウシュヴィッツでは、被収容者は到着するとすぐ、持ち物をすべて取りあげられ、身分を証明するものをいっさい失うのだが、それでも名前や職業はあった。それをいろいろ利用することも、あるいは可能だったかもしれない。しかし被収容者を（たいていは入れ墨で）識別でき、したがって収容所員が関心を示すのは、被収容者番号だけだ。監視兵や看守がある被収容者のことを、多くは「怠慢」の廉《かど》で「報告」しようと思っても、名前は訊《き》かない。ズボンや上着やコートの所定の位置に縫いつけてある番号にちらと目をやり、メモするだけだ（この行為はその結果のためにきわめて恐れられていた）。

間近に迫った移送の話にもどろう。そんなとき被収容者には、ことを一般化したりモラルにてらしたりして考える時間のよゆうなどなかった。また、そんなことをする気もなかった。だれもが家で自分の帰りを待っている家族のこと、自分が生きながらえること、収容所内の友情でつながっているだれかれを守ることしか考えなかった。それで、ためらうことなくほかのだれかを、ほかの「番号」を、移送団に押しこもうとしたのだ。

先に述べたことからも察しがつくように、カポーは劣悪な者から選ばれた。この任務に耐えるのは、ありがたいことにもちろん例外はいたものの、もっとも残酷な人間だけだった。親衛《SS》隊員にあてはまるような、ある種の優秀者を上から選ぶ選抜とならんで、劣悪者を下から選ぶ選抜というものもあったのだ。収容所暮らしが何年も続き、あちこちたらい回しにされたあげく一ダースもの収容所で過ごしてきた被収容者はおおむね、生存競争のなかで良心を失い、暴力も仲間から物を盗むことも平気になってしまっていた。そういう者だけが命をつなぐことができたのだ。何千もの幸運な偶然によって、あるいはお望みなら神の奇跡によってと言ってもいいが、とにかく生きて帰ったわたしたちは、みなそのことを知っている。わたしたちはためらわずに言うことができる。いい人は帰ってこなかった、と。

被収容者一一九一〇四の報告——心理学的試み

「番号」一一九一〇四という被収容者が、「心理学者として」強制収容所で経験したことを記述しようとする今、まず心にとめておいてほしいのは、言うまでもないと思うが、この被収容者が「心理学者として」強制収容所で働いていたのではない、ということだ。最後の数週間をのぞけば、医者としてもなにもしなかった。これは、わたし個人のではなく、ごくふつうの被収容者が経験した収容所生活を書き記すのがここでの目的である以上、重要なことだ。わたしは、自分がそうした「ごくふつうの」被収容者だったと、ただの一一九一〇四番でしかなかったと、胸を張って言いたい。わたしはほとんどの期間、土木作業員として、あるいは鉄道建設現場の重労働者として働いていた。ひと握りの運のいい同僚が、いくらかでも暖房のきいた診療棟で紙の包帯を作っていたあいだ、たとえばたったひとりで道路の地下に下水用暗渠《あんきょ》を掘っていた。

ちなみに、この暗渠掘りはわたしにとってきわめて重要な意味をもった。わたしはその「実績」が認められ、一九四四年のクリスマスのすこし前に、いわゆる褒状《ほうじょう》を二枚、もらったのだ。建設会社は、被収容者ひとり一日いくらという所定の料金を収容所に納めて、文字どおり、わたしたちを奴隷労働者として買っていたのだが、褒状はその会社が出すものだった。会社は褒状一枚について五〇ペニヒを支払い、数週間遅れはざらだったが、収容所内で六本の煙草にかたちを変えて支給された。

そんなわけで、わたしは煙草十二本を手に入れたのだが、これは物々交換の元手になった。

十二本の煙草はなんと十二杯のスープを意味し、十二杯のスープはさしあたり二週間は餓死の危険から命を守ることを意味した。煙草を煙草として吸ってしまうことは、毎週二枚の褒状をもらえるカポーにしか、あるいは、収容所の作業場や倉庫の責任者で、しかるべき報酬として煙草をもらえる被収容者にしかできない芸当だった。そのほかのすべてのふつうの被収容者が煙草をたしなむとは、褒状、つまり生命を危険にさらしてよぶんに働いた功績によって手に入れた煙草を、食料と交換することを断念し、生き延びることを断念して捨て鉢《ばち》になり、人生最後の日々を思いのままに「楽しむ」ということなのだった。仲間が煙草を吸いはじめると、わたしたちは、行き詰まったな、と察した。事実、そういう人は生きつづけられなかった。

ここまで、この本の表題（原題は「心理学者、強制収容所を体験する」）の意味を説明してきた。つぎに、なぜこのような本を書くのか、その意味を確認しておきたい。

強制収容所についての事実報告はすでにありあまるほど発表されている。したがって、事実については、ひとりの人間がほんとうにこういう経験をしたのだということを裏づけるためにだけふれることにして、ここでは、そうした経験を心理学の立場から解明してみようと思う。その意義は、強制収容所での生活をみずからの経験として知っている読者にとってとそうではない読者にとってでは異なる。第一の読者グループにとっての意義は、彼らが身をもって経験したことがこんにちの科学で説き明かされることにあり、第二のグループにとっては、それが理解可能なものになる、ということだ。つまり部外者にも、他者である被収容者の経験を理解できるようにし、ひいてはほんの数パーセントの生き延びた元被収容者と、彼らの特異で、心理学的に見てまったく新しい人生観への理解を助けることが、ここでの眼目なのだ。なぜなら、これはなかなか理解されないからだ。当事者たちがよくこう言うのを耳にする。

「経験など語りたくない。収容所にいた人には説明するまでもないし、収容所にいたことのない人には、わかってもらえるように話すなど、とうてい無理だからだ。わたしたちがどんな気持ちでいたのかも、今どんな気持ちでいるのかも」

このような心理学的な試みには、言うまでもなく方法論的な困難がつきまとう。心理学は、学問的な距離をとれ、と要請する。しかし、収容所生活を体験した者に、体験のさなか、彼自身を観察する暇《いとま》などあっただろうか。もとより、部外者は距離をとっていた。ただし、とりすぎていた。経験の激流から遠く離れていた部外者は、妥当なことを言える立場にはない。「まっただなか」にいた者は、完全に客観的な判断をくだすには、たぶん距離がなさすぎるだろう。しかしそうだとしても、この経験を身をもって知っているのは彼だけなのだ。もちろん、みずから経験した者の物差しはゆがんでいるかもしれない。いや、まさにゆがんでいるだろう。このことは度外視するわけにはいかない。そこで、いわゆるプライヴェートなことにはできるだけふれないことが、しかし他方、必要な場合には個人的な経験を記述する勇気をふるいおこすことが重要になってくる。なぜなら、このような心理学的探求のほんとうの危険は、それが個人的な調子をおびることではなく、かたよった色合いをおびることにあるからだ。そこで、わたしがここに書いたことを今一度、こんどは没個人的なものにまで蒸留し、ここにわたしが差し出す経験の主観的な抄録を客観的な理論へと結晶させることは、安《やす》んじてほかの人びとの手にゆだねようと思う。

ここで展開する心理学的論考は、すでに数十年前から知られている拘禁にかんする心理学や精神病理学に寄与するものである。周知のように、そうした研究はすでに第一次世界大戦のころから成果をあげてきた。まず発見されたのは、捕虜収容所で観察された病的心理反応、「鉄条網病」という病像だ。第二次世界大戦時には、（ル・ボンの著作のタイトルとして有名になった言葉を応用すれば）「群集精神病理学」がさらに充実した。第二次世界大戦が「神経戦」の様相を呈し、また強制収容所経験の記録が知られるようになったからだ。

ここでわたしは、はじめこの本を実名ではなく、被収容者番号で公表するつもりだったことに留意をうながしておきたい。経験者たちの露出趣味に抵抗感を覚えたからだ。しかし、匿名で公表されたものは価値が劣る、名乗る勇気は認識の価値を高める、と自分に言い聞かせ、名前を出すことにした。わたしは事実のために、名前を消すことを断念した。そして自分を晒《さら》け出す恥をのりこえ、勇気をふるって告白した。いわばわたし自身を売り渡したのだ。

第一段階　収容

強制収容所で自分や他の人びとを観察してえたおびただしい資料、つまりそこでの体験のすべてをまず整理し、おおまかに分類すると、収容所生活への被収容者の心の反応は三段階に分けられる。それは、施設に収容される段階、まさに収容所生活そのものの段階、そして収容所からの出所ないし解放の段階だ。

アウシュヴィッツ駅

第一段階の特徴は、収容ショックとでも言おうか。だがこの心理学で言うところのショック作用は、状況によっては実際の収容の前にも起こりうる。それは心になまなましくよみがえらずにはいない。たとえばわたしたちはどうだったか。わたし自身がアウシュヴィッツへ送られたあの移送団では？

想像してほしい。千五百名は、もう何日も昼夜ぶっ通しの移送の途上にある――その列車には貨車一台に八十人ずつが乗せられ、荷物（なけなしの財産）の上にごろごろと折り重なっていた。リュックサックや鞄《かばん》が積みあげられ、窓は上のほうがかろうじてのぞいているだけで、そこから明け方の空が見える。みんながみんな、この移送団はどこかの軍需工場に向かっており、そこでは強制労働が待っているのだ、と考えていた。

今しも列車は、だだっぴろい平野に停まる気配だ。ここがまだドイツのシュレージエンなのか、もうポーランドに入りこんでいるのか、だれにも確かなことはわからない。機関車の汽笛がするどくひと声、不気味に響く。まるで、みずからがとほうもない災禍へとつれてきた人の群れになり代わり、不吉な予感に助けを求めて悲鳴をあげたかのようだった。

そうこうするうちに、列車はかなり大きな駅にすべりこんだ。貨車のなかでおののきながらなりゆきを待ちうけていた人びとの群れから、ふいに叫びがあがった。

「駅の看板がある――アウシュヴィッツだ！」

この瞬間、だれもかれも、心臓が止まりそうになる。アウシュヴィッツと聞けばぴんとくるものがあった。あいまいなだけいっそうおぞましい、ガス室や焼却炉や大量殺戮《さつりく》をひっくるめたなにか！　列車はためらうようにゆっくりと進んだ。そう、まるで自分が運んできた世にも不幸な人間という積み荷をおもむろに、そしてなだめすかして現実の前に立たせようとするかのように。「そうだよ、ここはアウシュヴィッツだよ」と。

ほかにもいろいろ見えてきた。しだいに明るさを増す朝の光のなか、線路の右にも左にも、数キロメートルにわたる巨大な収容所の輪郭がくっきりと浮かびあがった。何重にも張りめぐらされた鉄条網は、まるでこの世の果てまで続いているかのようだ。監視塔、サーチライト、そしてぼろをまとった人間がえんえんと列をなして、暗澹《あんたん》とした薄明《はくめい》のなかを暗澹と、疲れ果て、蹌踉《そうろう》と、収容所の荒涼としたまっすぐの道をのろのろと歩いていく――彼らが行きつく先を、だれも知らない。ときおり、そこかしこで号令の笛の音が響いた――その意味は、だれにもわからない。

ひとりふたりはすでに恐怖の面持《おもも》ちだ。わたしは、二基の絞首台とそこにぶらさがっている人影を見たように思い、ぞっと怖気《おぞけ》だった。しかし、それどころではなかった。わたしたちはひとり残らず、刻一刻、一歩また一歩と、底無しの恐怖のなかへといやおうなしに引きずりこまれつつあったのだ――ついに駅に着いた。まだなにも起こらない。とそのとき――号令が聞こえた。あの独特な、耳をつんざくかすれ声。このときから、この叫び声をあらゆる収容所でいやというほど聞かされることになる。その声は殺される者の断末魔の叫びのようだが、やや違っていて、何度も何度も叫ばずにはいられない、何度も何度も殺される男の喉《のど》から発せられるかのように、しゃがれ、かすれていた……。

そのとき、貨車の扉が引き開けられ、よくある縞《しま》模様の服を着た被収容者がどやどやと乗りこんできた。丸坊主にされてはいるが、栄養状態はきわめて良好なようだ。いろんなヨーロッパの言語をしゃべっている。そろって陽気そのもので、この瞬間この状況ではどことなくグロテスクな感じがした。溺《おぼ》れる者は藁《わら》をもつかむ。このとき以来、何度も過酷な状況を乗り越えさせてくれたわたしの性来《せいらい》の楽天主義は、この事実にしがみついた。この連中はそれほど惨《みじ》めそうでもないな。見るからに陽気で、笑ってすらいるじゃないか。わたしもこの被収容者たちのような、わりと恵まれた待遇をうけないなんて、だれにも言えないさ。

精神医学では、いわゆる恩赦《おんしゃ》妄想という病像が知られている。死刑を宣告された者が処刑の直前に、土壇場《どたんば》で自分は恩赦されるのだ、と空想しはじめるのだ。それと同じで、わたしたちも希望にしがみつき、最後の瞬間まで、事態はそんなに悪くはないだろうと信じた。見ろよ、この被収容者たちを。頬《ほお》はまるまるとしているし、血色《けっしょく》もこんなにいいじゃないか!

わたしたちはまだなにも知らなかったのだ。彼らは「エリート」だった。アウシュヴィッツ駅に——何年ものあいだ——毎日何千と送りこまれる人びとを出迎えるために選ばれた、例の被収容者グループだったのだ。出迎えるとは、人びとの手荷物を、そのなかに入っているというか、隠されている値打ち品、つまり当時貴重になっていた日用品や、こっそり持ちこまれた宝石のたぐいもろとも取りあげることだった。戦争末期の当時、ヨーロッパでアウシュヴィッツほど金銀、プラチナ、ダイヤモンドがごっそり集積していたところはなかった。貴金属や宝石は巨大な倉庫だけでなく、親衛《SS》隊員のふところや、わたしたちを出迎えた被収容者グループのふところにも貯めこまれていた。

千百人の被収容者が小規模収容所へとさらに移送されることになり、その直前、たった一棟の収容棟（思うに定員はせいぜい二百人）のむき出しの土間に、寒さに震え、空腹にさいなまれながら、うずくまったり立ったりしていたことがある——全員が坐るだけのゆとりはなかったのだ。もちろん、横になるなど論外だった。わたしたちは、四日間でパンをたったのひと切れ（およそ一五〇グラム）しかあてがわれていなかったが、あるときわたしは、被収容者の班長が、ダイヤのついたプラチナのネクタイピンを示して、例のエリート被収容者と掛け合っているのを小耳にはさんだ。そうした取り引きの目当ては、言うまでもないと思うが、ほとんどの場合ブランデーだった。当時アウシュヴィッツでひと晩を陽気に過ごせるだけのブランデーが何千マルクについたのか、わたしはよく知らない。わかっているのはただひとつ、長期の被収容者にはブランデーが必要だったということだ。身も心も最悪の状況だったのだ。憂《う》さを晴らしたいと思った人のことをとやかく言えるだろうか。

ガス室や焼却炉で働かされていた例の被収容者グループでは、事情は違っていた。彼らは、いつかある日ほかの被収容者グループと交代させられて、こんどは自分たちが犠牲者の道をたどるということを、紛れもない事実として知っていた。彼らは、犠牲者とは異なり、処刑する側の手下になることを強いられていたのだ。このグループには、親衛隊《SS》からアルコールが好きなだけあたえられていた。

最初の選別

移送されてきたわたしたちは、みんな多かれ少なかれ恩赦妄想《おんしゃ》にとらわれていた。あいかわらず、なにもかもうまくいくはずだ、と考えていた。なぜなら、今なにが起こっているのか、その意味をまだとらえかねていたからだ。

それは夕方になってようやくはっきりした。わたしたちは、すべての所持品を置いて貨車から降り、男女別べつに一列になって親衛隊の高級将校の前を歩け、との指示をうけた。どうしてあんなことができたのか、わたしは大胆不敵にも、パンを入れた袋をあぶなっかしくコートの下に隠し持っていった。見ていると、わたしの列の男たちがひとりまたひとりと親衛隊将校の前に進み出る。わたしは考えた。もしもあの将校が、わたしの体を片側に傾《かし》げさせている重いパン袋に気づいたら、わたしは平手打ちの一発も食らい、ぬかるみにたたきつけられるだろう。そういうことは、すでに風の噂で耳に入っていた……。

わたしはこの男に近づくにつれ、荷物を隠しているのが見つからないよう、本能的に体をまっすぐに伸ばした。男は今やわたしの目の前に立っている。長身痩軀《そうく》でスマートで、非のうちどころのない真新しい制服に身をつつんだ——要するにエレガントで身だしなみのいい人間だった。重なる寝不足にだらしない姿を晒《さら》していた惨《みじ》めなわたしたちとは雲泥《うんでい》の差だ。男は心ここにあらずという態度で立ち、右肘を左手でささえて右手をかかげ、人差し指をごく控え目にほんのわずか——こちらから見て、あるときは左に、またあるときは右に、しかしたいていは左に——動かした……。この人差し指のかすかな動きがなにを意味するのか、さっぱり見当がつかない——あるときは左に、またあるときは右に、しかしたいていは左に。

さあ、わたしの番だ。先ほど、だれかがわたしにささやいた。（「見ている方から」）右は労働に、左は労働不適格者や病人の収容所にやられるんだぞ。わたしはなりゆきに任せることにした——これを皮切りに、わたしは幾度《いくたび》となくなりゆきに任せることになる。パン袋のおかげで体は左に傾《かし》げそうだ。わたしは背筋を伸ばし、しゃんとした。親衛隊員《SS》はわたしをさぐるようなまなざしで眺めた。不審に思ったか、疑念を覚えたかしたらしい。男はわたしの両肩に手を置いた。わたしは「いかつい」感じをあたえようと、つとめて直立の姿勢をとった。すると男はわたしの肩をゆっくりと回転させ、わたしは右を向かされ——そして、わたしから見て右のほうへ走った。

夜になって、わたしたちは人差し指の動きの意味を知った。それは最初の淘汰だった！　生か死かの決定だったのだ。それはわたしたちの移送団のほとんど、およそ九十パーセントにとっては死の宣告だった。それは時をおかずに執行された。（わたしたちから見て）左にやられた者は、プラットホームのスロープから直接、焼却炉のある建物まで歩いていった。その建物には——そこで働かされていた人びとが教えてくれたのだが——「入浴施設」といろんなヨーロッパの言語で書かれた紙が貼ってあり、人びとはおのおの石けんを持たされた。そしてなにが起こったか。それについては言わなくてもいいだろう。すでに数々の信頼できる報告によって明らかにされているとおりだ。

移送団の少数派であるわたしたちは、その夜のうちにことの次第を知った。わたしが、収容所暮らしの長い被収容者に、友人のPの行方がわからない、ともらしたのがきっかけだった。

「その人はあなたとは別の側に行かされた?」

「そうだ」

「だったらほら、あそこだ」

あそこってどこだ? 手が伸びて、数百メートル離れた煙突を指さした。煙突からは数メートルの高さに不気味な炎が吹き出して、渺々《びょうびょう》とひろがるポーランドの暗い空をなめ、まっ黒な煙となって消えていく。あそこがどうしたって?

「あそこからお友だちが天に昇っていってるところだ」

露骨な答えが返ってきた。わたしはまだ事態がのみこめない。けれども時間の問題だ――「手ほどきして」もらったとたん、疑問は氷解した。

話を端折《はしょ》ってしまった。しかし事実は、先に述べた夜明けの駅頭から収容所で初めての眠りにつくまで、心理学的にはまだまだ長い道のりがあったのだ。

駅を出発したわたしたちの列は、いつでも撃てるように銃を構えた親衛隊《SS》の監視兵に護衛されながら、高圧電流の流れる鉄条網にはさまれた道を通って収容所を駆け抜け、消毒用入浴施設にたどり着いた——最初の淘汰《とうた》に残ったわたしたちには、すくなくともほんものの入浴が待っていた。

わたしたちの恩赦《おんしゃ》妄想はさらに恰好の餌《えさ》をあたえられた。親衛隊員がやけに親切に見えたのだ！　だがほどなくわたしたちは、隊員たちが友好的なのは、わたしたちの手首に腕時計を認め、じつに愛想よく「譲渡」をもちかけるまでだと気がついた。隊員たちによると、この先、まだ持っている物もどのみち手放さなければならなくなるという。だれもがひそかに考えた。どうせなくなる物はなくなるのだ、このわりと親切なやつが時計をひとつ着服したって、どうってことないだろう？　こいつがなにかの折りに便宜をはかってくれるかもしれないじゃないか。

消　毒

わたしたちは「消毒」のための控え室にあてられた棟で待っていた。親衛隊員が布を持ってやってきて、保存食も時計も装身具《そうしんぐ》も、ひとつ残らずそこに投げこめ、と言った。この期《ご》におよんでもまだ、せめて結婚指輪だけは持っていていいかとか、写真の入ったロケットは、お守りは、形見の品は、と必死になってたずねる者たちがいて、補助をつとめる「古参の」被収容者の失笑を買った。文字どおりすべて取りあげられるなど、まだだれもほんとうには信じられなかったのだ。わたしは、古参の被収容者のひとりに腹を割って打ち明けてみることにした。そっと歩み寄り、コートの胸ポケットに丸めてつっこんである紙束をさししめし、こう言った。

「聞いてくれ、これは学術書の原稿だ。きみが言いたいことはわかっている、よくわかっている。命あっての物種《ものだね》だ。運命の情けにすがるのは、なんと言っても命請いするときだ。だけどわたしは欲張りな人間でね、自分で自分をもてあますよ。この原稿を持っていたいんだ。わたしのライフワークなんだ。わかってくれるか」

古参の囚人はわかってきたらしい。そう、わかってきたのだ。へらへら笑いが顔いっぱいにひろがり、はじめはむしろ同情的だったのが、面白がりへ、あざけりへ、そして侮蔑へと変わったと思うと、顔をしかめてたったひとことどなりつけ、わたしの懇願にけりをつけた。このときから、このひとことは、被収容者が耳にする言葉のなかに、何度もくりかえされることになる。古参の被収容者はこうどなったのだ。

「糞《くそ》ったれ！」

　このとき、わたしはことの次第をのみこんだ。そして、この第一段階のクライマックスにおける心理学的反応をした。つまり、それまでの人生をすべてなかったことにしたのだ。

　突然、おそろしいほど蒼白な顔をして、とほうにくれてああでもない、こうでもないと言いあっていた移送団仲間に動揺が走った。司令官があのしゃがれ声で叫んだのだ。そして全員、小突かれながら駆け足で隣接する脱衣場へと追いこまれた。入っていったホールのまんなかには、一人の親衛隊員《SS》が待ちうけていた。わたしたちのグループが全員そろうと、親衛隊員は話しはじめた。

「二分の猶予《ゆうよ》をあたえる。自分は時計を見ている。二分以内に、衣服をすべて脱げ。すべてをその場に置け、なにも携帯してはならない。靴もベルトもズボン吊りも、眼鏡《めがね》も脱腸帯《だっちょうたい》もだ。二分で停止を命じる。始め！」

　あせりのあまり頭のなかがまっ白になって、わたしたちは身につけているものをなにもかも剝《は》ぎとった。時間が迫るほどに頭に血がのぼり、なにがなんだかわからなくなって、服や下着、ベルトや紐《ひも》などなどを、つぎつぎとむしり取った。もう、一発めのばしっという音が聞こえた。鞭《むち》が裸の体に響いたのだ。それから、わたしたちは別の部屋に追い立てられた。そこでは毛を剃《そ》られた。頭だけではない。体じゅうの毛を……。それから、シャワー室に追い立てられた。

わたしたちは整列した。もう、だれがだれだかわからない。だが人びとは、歓喜ととほうもない幸運を嚙みしめ、たしかめた。シャワーノズルからはほんとうに水がふりそそいだのだ……。

人に残されたもの——裸の存在

シャワーを待っているあいだにも、わたしたちは自分が身ぐるみ剝《は》がれたことを思い知った。今や（毛髪もない）この裸の体以外、まさになにひとつ持っていない。文字どおり裸の存在以外のなにものも所有していないのだ。これまでの人生との目に見える絆など、まだ残っているだろうか。たとえばわたしには、眼鏡とベルトが残っていた。もちろん、遠からずひとかけらのパンと交換しなければならなくなったが。

脱腸帯をしていた者は、その夜のうちにさらに胆《きも》を冷やすことになった。わたしたちの居住棟の班長が歓迎のあいさつをしたのだが、そのなかで、「はっきり言っておく」が、脱腸帯に「ドルや貴金属」を縫《ぬ》いこんでいるやつは自分がこの手で「あの梁《はり》に」（と、上をさししめした）ぶら下げてやる、と請けあったのだ。その男はえらそうに言ったものだ。自分はここの班長であり、収容所の掟《おきて》にてらしてそうする権利があるのだ、と。

靴は、原則として持つことが許されたが、これとて事情は同じだった。そこそこましな靴を履《は》いていた者は取りあげられ、代わりにサイズの合わないものを渡された。先ほどの控え室で、いろいろ見聞きしている古顔の監視兵が親切心からしてくれた忠告にしたがって、カナダ製のすばらしいバイク用ロングブーツを切って短くし、さらにこの「サボタージュ」を隠すために切り口に石けんを塗りつけた人は、笑いごとではすまされなくなった。親衛隊員《SS》はまるでそういうことを予期していたかのように、わたしたちを整列させて、靴の点検をしたのだ。靴を見せ、切ったと疑われた者は、小さな隣室に来るよう、命じられた。そしてほどなく、ばしっという鞭《むち》の音と痛めつけられる人間の悲鳴がまたしても、しかしこんどはいつ果てるともなく聞こえてくるのだった。

最初の反応

こんなふうに、わたしたちがまだもっていた幻想は、ひとつまたひとつと潰《つい》えていった。そうなると、思いもよらない感情がこみあげた。やけくそのユーモアだ！　わたしたちはもう、みっともない裸の体のほかには失うものはなにもないことを知っていた。早くもシャワーの水がふりそそいでいるあいだに、程度の差こそあれ冗談を、とにかく自分では冗談のつもりのことを言いあい、まずは自分自身を、ひいてはおたがいを笑い飛ばそうと躍起《やっき》になった。なぜなら、もう一度言うが、シャワーノズルからはほんとうに水が出たのだ……！

やけくそのユーモアのほかにもうひとつ、わたしたちの心を占めた感情があった。好奇心だ。わたし自身は、生命がただならぬ状態に置かれたときの反応としてのこの心的態度を、別の場面で経験したことがあった。それまでにも生命の危険に晒《さら》されると、たとえば山で岩場をよじ登っていてずるっと足を滑《すべ》らせたときなど、その数秒間（あるいはたぶん何分の一秒間か）、ある心的態度でこの突発的なできごとに対処していたのだが、それが、自分は命拾いするだろうか、しないだろうか、骨折するなら頭蓋骨だろうか、ほかの骨だろうか、といった好奇心だった。

アウシュヴィッツでもこれと同じような、世界をしらっと外からながめ、人びとから距離をおく、冷淡と言ってもいい好奇心が支配的だった。さまざまな場面で、魂をひっこめ、なんとか無事やりすごそうとする傍観と受身の気分が支配していたのだ。わたしたちは好奇心の塊《かたまり》だった。この先いったいどうなるのだろう、どんな結末が待っているのだろう。たとえば、丸裸で、シャワーを浴びたためにまだずぶ濡れで、晩秋の寒さのなか、戸外に立たされることの結末やいかに。そして、好奇心は続く数日のうちに驚きによって満足させられた。たとえば、だれひとり、鼻風邪ひとつひいていない、という驚きによって。

新入りの被収容者のこうした瑣末な驚きは、挙げていたらそれこそきりがない。新入りのひとりであるわたしは、医学者として、とにかくあることを学んだ。教科書は嘘八百だ、ということを。たとえば、どこかにこんなことが書いてあった。人間は睡眠をとらなければ何時間だか以上はもちこたえられない。まったくのでたらめだ。わたしも、あれこれのことはできないとか、させられてはならないとか、思いこんでいた。人は「もしも……でなければ」眠れない、「……がなくては」生きられない。

アウシュヴィッツでの第一夜、わたしは三段「ベッド」で寝た。一段（縦が二メートル、幅が二・五メートルほど）の、むき出しの板敷きに九人が横になった。毛布は一段、つまり九人につき二枚だった。言うまでもなく、わたしたちは横向きにびっしりと体を押しつけあって寝なければならなかった。もっとも、外は冷えこみ、居住棟には暖房などなかったのだから、これは都合がよかった。この「仕切り」に靴は持ちこみ禁止だったが、禁を犯してでも枕にする者たちもいた。糞《くそ》にまみれていることなどおかまいなしだ。そうでもしないと、脱臼《だっきゅう》しそうなほど腕を伸ばして頭を乗せるしかなかった。こんなありさまでも、眠りは意識を奪い、状況の苦しさを忘れさせてくれた。

人間にはなんでも可能だというこの驚きを、あといくつかだけ挙げておこう。収容所暮らしでは、一度も歯をみがかず、そしてあきらかにビタミンは極度に不足していたのに、歯茎《はぐき》は以前の栄養状態のよかったころより健康だった。あるいはまた、半年間、たった一枚の同じシャツを着て、どう見てもシャツとは言えなくなり、洗い場の水道が凍《こお》ってしまったために、何日も体の一部なりと洗うこともままならず、傷だらけの手は土木作業のために汚れていたのに、傷口は化膿《かのう》しなかった（もちろん、寒さが影響してくれれば別だったが）。あるいは、以前は隣りの部屋でかすかな物音がしても目を覚まし、そうなるともう寝つけなかった人が、仲間とぎゅう詰めになり、耳元で盛大ないびきを聞かせられても、横になったとたんにぐっすりと寝入ってしまった。

人間はなにごとにも慣れる存在だ、と定義したドストエフスキーがいかに正しかったかを思わずにはいられない。人間はなにごとにも慣れることができるというが、それはほんとうか、ほんとうならそれはどこまで可能か、と訊《き》かれたら、わたしは、ほんとうだ、どこまでも可能だ、と答えるだろう。だが、どのように、とは問わないでほしい……。

「鉄条網に走る」？

だが、わたしたちの心理学的研究はまだ序の口だ。当時わたしたちは、自分たちの状況にまだそれほど深くはいりこんでいなかった。わたしたちは心理的反応の第一段階にとどまっていた。出口なしの状況、死の危険に日々、時々刻々つけねらわれていること、まわりで人がばたばた死んでいくこと。こうしたことがほとんどすべての人に、たとえほんのいっときなりと自殺を思わせたとしても不思議ではない。わたし自身は、アウシュヴィッツでの第一夜、眠りにつく前に、「鉄条網に走る」ことはけっしてすまい、と誓った。この決意はある世界観をふまえた基本姿勢から発するのだが、この世界観については稿を改めてくわしく語りたい。

「鉄条網に走る」という収容所特有の言い回しは、収容所ならではの自殺方法を言い表している。つまり、高圧電流が流れている鉄条網にふれるということだ。鉄条網に走らない、と否定形で決意することは、アウシュヴィッツではそれほどむつかしいことではなかった。自殺を試みるということは、結局のところあまり現実的ではなかった。ごくふつうの被収容者は、確率論や数字であらわされる「平均余命」に望みをつなぎ、これから被収容者たちを待ちうけている選別やさまざまな淘汰を生き残るのがどれほどわずかな割合かを予期するまでに至らなかったのだ。

また一方でアウシュヴィッツでは、収容ショック状態にとどまっている被収容者は、死をまったく恐れなかった。収容されて数日で、ガス室はおぞましいものでもなんでもなくなった。彼の目に、それはただ自殺する手間を省いてくれるものとしか映らなくなるのだ。

わたし自身は、収容ショックでとくに落ちこんだ部類にははいらなかったと言えると思う。それは、公平な目で見ていた仲間たちが証言してくれている。それでも、わたしがようやく微《ほほ》笑《え》み、気を取り直したのは、アウシュヴィッツの最初の夜が明けた翌日の午前中に起こったあることがきっかけだった。

「ブロック封鎖」が敷かれているあいだは、明らかな任務がなければ、だれも自分の居住棟を離れてはいけないのだが、それを破って、わたしたちよりも数週間前にアウシュヴィッツに到着していた知り合いが、わたしたちの棟に忍びこんだのだ。わたしたちを安心させ、説明してなぐさめるのが目的だった。もうげっそりと痩《や》せて、はじめはだれだかわからないほどだったが、彼は努めて明るく事務的な態度をよそおって、口早に助言してくれた。

「恐がるな。選抜にびくびくするな。M（収容所の親衛隊《SS》の軍医長）は医者にはちょっとは目をかけてくれる」

（これは事実に反していた。だが、この情報がとんでもない間違いで、この「医師」の態度がどれほど悪魔的だったかをここで語るつもりはない。ひとつだけ例を挙げる。自身被収容者である、六十代のブロック担当医から聞いた話だ。この医師は、ガス室送りと決まった自分の息子を助けてほしいと懇願したが、M博士はそれを冷酷にはねつけた。）

「頼むからこれだけはやってくれ。髭《ひげ》を剃《そ》るんだ。できれば毎日。わたしはガラスの破片でやっている。それとも、最後のパンのひと切れをやってでも、だれかに剃ってもらえ。そうすれば若く見えるし、頬《ほお》がひっかき傷だらけでも血色《けつしょく》はよく見える。病気にだけはなるな。病人のように見えちゃだめだぞ。命が惜しかったら、働けると見られるしかない。靴ずれみたいなほんのちょっとした傷で足を引きずったら、ここでは命取りだ。親衛隊員《SS》たちは、そんなやつを見つけたら、こっちに来いと合図する。つぎの日にはガス室送り間違いなしだ。君たちはもう知っているか、ここでムスリムとあだ名されている連中を？　やつれて、疲れきって、病人みたいに見える連中だ。痩《や》せて、体がもう労働についていけない連中。ムスリムはひとり残らず、遅かれ早かれガス室に送られる。たいていは即刻だ。だからいいか、もう一度言うぞ、髭を剃れ、立ったり歩いたりするときは、いつもぴしっとしてろ。そうすれば、ガス室なんて恐れることはない。君たちは収容所に来てまだ二十四時間だ。だから今はそんなふうにもしているわけだが、ずっとその調子でいるんだ。そうすれば、ガス室なんて恐くない。ただ、例外は──君だな」

彼はわたしを指さした。

「悪く思わないでくれるな？　はっきり言おう。心配があるとすれば君だ」

彼はもう一度、頭でわたしをさし示した。

「君たちのうちで、つぎの選抜で問題になるのは、まあ君ぐらいのものだ。だから、安心しろ」

誓って言う。そのときわたしは微笑《ほほえ》んだ。わたしの立場にいたら、だれでもそうするしかなかったと思う。

ゴットホルト・エフライム・レッシングは、かつてこう言った。

「特定のことに直面しても分別を失わない者は、そもそも失うべき分別をもっていないのだ」

異常な状況では異常な反応を示すのが正常なのだ。精神医学者の立場からも、人間は正常であるほど、たとえば精神病院に入れられるといった異常な状況に置かれると異常な反応を示すことは、充分に予測できる。強制収容所の被収容者の反応も、異常な精神状態を示しているが、それ自体は正常な反応であって、このような状況との関連に置いて見るかぎり、典型的な感情の反応なのだ。

第二段階 収容所生活

感動の消滅《アパシー》

ここまでに描いた反応には、数日で変化がきざした。被収容者はショックの第一段階から、第二段階である感動の消滅段階へと移行した。内面がじわじわと死んでいったのだ。これまで述べてきた激しい感情的反応のほかにも、新入りの被収容者は収容所での最初の日々、苦悩にみちた情動を経験したが、こうした内なる感情をすぐに抹殺しにかかったのだ。

その最たるものが、家に残してきた家族に会いたいという思いだ。それは身も世もなくなるほど激しく被収容者をさいなんだ。それから嫌悪があった。あらゆる醜悪なものにたいする嫌悪。被収容者をとりまく外見的なものがまず、醜悪な嫌悪の対象だった。彼はおおかたの仲間と同じように、ぼろの「おしきせを着」せられた。案山子《かかし》のほうがよっぽどましだった。収容所の棟と棟のあいだは一面のぬかるみだ。泥をどかしたり、あるいは「地ならし」をするたびに、わたしたちは泥まみれになった。新入りは、往々にして便所掃除や糞尿の汲み取りを受け持つ作業グループに配属された。糞尿は、でこぼこの地面を運んでいくとき、しょっちゅう顔にはね返るが、ぎょっとしたり拭おうとしたりすれば、かならずカポーの一撃が飛んできた。労働者が「上品ぶる」のが気にさわったのだ。

こうして、正常な感情の動きはどんどん息の根を止められていった。被収容者は点呼整列させられ、ほかのグループの懲罰訓練を見せられると、はじめのうちは目を逸《そ》らした。サディスティックに痛めつけられる人間が、棍棒《こんぼう》で殴られながら決められた歩調を強いられて何時間も糞尿のなかを行ったり来たりする仲間が、まだ見るに耐えないのだ。

数日あるいは数週間もたつと、被収容者はもう変わっていた。朝、まだ暗いうちに、作業グループとともにゲートの前で行列の出発を待っているとき、彼は叫び声を耳にする。そちらを見ると、仲間が何度も地べたに殴り倒されていた。立ちあがってはまた殴り倒される。なぜだ。その男が熱を出したからだ。それがゆうべのことだったので、期限内に（診療所で）熱を処置してもらうことも、病気を報告することもできなかったからだ。そして朝になって、所外労働に出なくてすむよう、病気届を出してもらおうと無駄な試みをしたために、今、罰を受けているのだ。ながめる被収容者はすでに心理学で言う、反応の第二段階にはいっており、目を逸《そ》らしたりしない。無関心に、なにも感じずにながめていられる。心に小波《さざなみ》ひとつたてずに。

あるいはまた、被収容者は夕方、診療所で押しあいへしあいして立っていた。彼らは、怪我か飢餓浮腫《ふしゅ》か熱のために、二日間の「静養」を処方してもらえないだろうか、そうすれば、二日は労働に出なくてすむのだが、というはかない望みを追っていた。そこに十二歳の少年が運びこまれた。靴がなかったために、はだしで雪のなかに何時間も点呼で立たされたうえに、一日じゅう所外労働につかなければならなかった。その足指は凍傷《とうしょう》にかかり、診療所の医師は壊《え》死《し》して黒ずんだ足指をピンセットで付け根から抜いた。それを被収容者たちは平然とながめていた。嫌悪も恐怖も同情も憤りも、見つめる被収容者からはいっさい感じられなかった。苦しむ人間、病人、瀕死の人間、死者。これらはすべて、数週間を収容所で生きた者には見慣れた光景になってしまい、心が麻痺してしまったのだ。

短期間、わたしは発疹チフス病棟に入っていた。まわりじゅうが高熱を発し、譫妄《せんもう》状態にある患者で、多くは死を待つばかりだった。またひとり死んだ。するとなにが起こるか。X回めに、そう、X回めに。感情的な反応など、もはや呼び覚まされない。いったいなにが起こるのか。見ていると、仲間がひとりまたひとりと、まだあたたかい死体にわらわらと近づいた。ひとりは、昼食の残りの泥だらけのじゃがいもをせしめた。もうひとりは、死体の木靴が自分のよりましなことをたしかめて、交換した。三人めは、同じように死者と上着を取り替えた。四人めは、(本物の!)紐《ひも》を手に入れて喜んだ。

わたしはなにもせずにただ見ていた。そしてやっとのことで起きあがり、「看護人」に死体を、文字どおりの掘っ立て小屋から出してくれるよう、頼んだ。看護人はしばらくしてようやくやる気を起こすと、死体の足をつかみ、右にも左にも五十人の高熱を発している人びとが横たわっている板敷きのあいだの狭い通路に転げ落とし、でこぼこの土の床を棟の入り口まで引きずっていった。外に出るには階段を二段、上がるのだが、これがわたしたち慢性的飢餓状態にあり衰弱しきっている者にとっては大問題だった。何カ月も収容所で過ごした今、わたしたちはみな、両手で柱にすがって体を引きあげないと、足の力だけでは自分の体重を二十センチだけ二回持ちあげることなど、とっくにできなくなっていた。

看護人が死体を引きずってやってきた。まずは自分がやっとの思いで段を登り、それから死者を外へと引きずりあげた。足のほうから、ついで胴体、最後にごんごんと不気味な音をたてて頭部が、二段の階段を越えていった。

その直後、スープの桶《おけ》が棟に運びこまれた。スープは配られ、飲み干された。わたしの場所は入り口の真向かいの、棟の奥だった。たったひとつの小さな窓が、床すれすれに開いていた。わたしはかじかんだ手で熱いスープ鉢《ばち》にしがみついた。がつがつと飲みながら、ふと窓の外に目をやった。そこではたった今引きずり出された死体が、据《す》わった目で窓の中をじいっとのぞいていた。二時間前には、まだこの仲間と話をしていた。わたしはスープを飲みつづけた。

もしも職業的な関心から自分自身の非情さに愕然《がくぜん》としなかったとしたら、このできごとはそもそも記憶にとどまりもしなかったと思う。感情喪失はそれほど徹底していた。

苦　痛

感情の消滅や鈍磨《どんま》、内面の冷淡さと無関心。これら、被収容者の心理的反応の第二段階の徴候は、ほどなく毎日毎時殴られることにたいしても、なにも感じなくさせた。この不感無覚は、被収容者の心をとっさに囲う、なくてはならない盾《たて》なのだ。なぜなら、収容所ではとにかくよく殴られたからだ。まるで理由にならないことで、あるいはまったく理由もなく。

たとえを挙げよう。わたしが働いていた建設現場で「食事時間」になった。わたしたちは列を作った。わたしのうしろの男は一歩ほど列から横にはみ出して立っていたらしく、それが親衛隊《SS》の監視兵には、たぶんシンメトリーの感覚にてらして気に入らなかったのだろう。そんなことは、規律を重んじる立場からしてもとやかく言うほどのこともない、どうでもいいことだし、だいいち足元は整地されていず、でこぼこだった。しかし、その監視兵には気に食わなかったのだ。とにかく、行列のわたしのうしろで、ましてや監視兵の心のなかでなにが起こったか、さっぱり見当がつかないままに、突然わたしは頭のてっぺんを二度したたかに殴られた。それからようやく、すぐそばに監視兵の姿を認め、この男が棍棒《こんぼう》を振るったのだと知った。

　殴られる肉体的苦痛は、わたしたちおとなの囚人だけでなく、懲罰をうけた子どもにとってすら深刻ではない。心の痛み、つまり不正や不条理への憤怒《ふんぬ》に、殴られた瞬間、人はとことん苦しむのだ。だから、空振りに終わった殴打《おうだ》が、場合によってはいっそう苦痛だったりすることもある。たとえばあるとき、わたしは所外の線路にいた。吹雪《ふぶき》が襲った。にもかかわらず、作業を中断することは許されなかった。体が芯《しん》まで凍《こご》えてしまわないように、わたしはせっせと線路の間を砕石《さいせき》で埋めた。ほんの一瞬、息をつくために手を休め、つるはしにもたれた。運の悪いことに、同じ瞬間に監視兵がこちらを振り向き、当然、わたしが「さぼっている」と思いこんだ。そして、とっくに感情が消滅していたはずのわたしが、それでもなお苦痛だったのは、なんらかの叱責《しっせき》や、覚悟していた棍棒ではなかった。監視兵は、このなんとか人間の姿をとどめているだけの、尾羽《おは》打ち枯らし、ぼろをまとったやつ、彼の目に映ったわたしというやつを、わざわざ罵倒する値打ちなどないとふんだ。そして、たわむれのように地面から石ころを拾いあげ、わたしに投げた。わたしは感じずにはいられなかった。こうやって動物の気をひくことがあるな、と。こうやって、家畜に「働く義務」を思い起こさせるのだ、罰をあたえるほどの気持ちのつながりなど「これっぽっちも」もたない家畜に、と。

愚弄という伴奏

殴られることのなにが苦痛だと言って、殴られながら嘲《あざけ》られることだった。

あるとき、わたしたちは重く長い鉄道の枕木を、凍《い》てついた線路にそって運んでいた。足を滑らせれば、当人ばかりか、いっしょに枕木をかついでいる仲間にも危険がおよぶ。仲間のひとりで、古くからの友人でもある男は、生まれつき股関節脱臼《こかんせつだっきゅう》だった。友人は、それでもなんとか働けることを喜んでいた。友人のような身障者にとり、「淘汰」はガス室での確実な死を意味した。

そのとき、友人はとりわけ重い枕木をかついで、線路をあぶなっかしい足取りで歩いていた。集積所まであと数歩のところで、友人がよろめいたのが目に入った。今にも転んで、相棒たちを道連れにしそうだ。わたしはまだ枕木をかついでいなかったので、思わずとんでいって友人を支え、運ぶのを手伝った。だが早くも鈍い音がして、わたしは背中を棍棒《こんぼう》でどやされ、粗野などなり声で、ひっこんでろ、と命じられた。しかし数分前にこの監視兵は、わたしたち豚どもは仲間意識がないと嘲《あざけ》ったのだ。

また別のとき、わたしたちはマイナス二十度の森で、かちかちに凍った表土《ひょうど》を掘りおこしにかかっていた。配水管を埋設《まいせつ》しなければならないのだ。このときまでに、わたしの体はすっかり衰弱していた。現場監督がやってきた。まるまるとした赤い頰《ほお》。その顔は豚そっくりだ。うらやましいかぎりのあたたかそうな手袋をはめていた。なのにわたしたちは、この極寒のさなか、手袋なしだと思い知る。しかも監督は、毛皮の裏のついた革のジャケットを着こんでいた。いっとき、監督は黙ってわたしを見つめていた。わたしは雲行きが悪いと察した。すでに掘られた土がわたしの前に積みあげられていたが、それがやや少なかったからだ。監督が口を開いた。

「この豚犬野郎！　おれはきさまをずっと見ていたんだぞ！　きさまにはもっとたんまり仕

事をさせてやる！　地べたに噛みつかせてやる！　きさまはここでくたばるんだ、おれが面倒見てやるよ！　きさまを二日であの世に送ってやるからな！　きさまは生まれてから働いたことなんてないんだろう、顔に書いてあるぞ。きさま、なにをやってたんだ、え、この豚野郎？商売人か？　え？」

わたしはもう、なにもかもどうでもよくなっていた。すぐにも命を奪うという監督の脅《おど》しに、腹をくくるしかなかった。そこで、身を起こし、相手の目をまっすぐに見た。

「医者でした。専門医です」

「なんだと？　きさまが医者？　ほほう、金を搾《しぼ》りとってたんだな、そうに決まってる」

「現場監督殿、わたしの本業は無報酬でした。貧しい人びとのための診療所で働いていました」

だがこれは言い過ぎだった。監督はわたしに襲いかかり、地べたに押し倒し、憑《つ》かれたようにわめきちらした。わたしはもう、なにがなんだかわからない。

だが、わたしは幸運だった。わたしの作業グループのカポーはわたしにたいそう恩義を感じていた。わたしを心から慕っていた。それは、作業現場まで何時間もかかる行進のあいだ、彼の不倫と夫婦間がぎくしゃくしているという話に、専門家として親身《しんみ》に耳を傾け、彼の性格を分析し、セラピストとして助言したおかげで、好感をもってくれたのだ。このことがあってから、このカポーはわたしに恩義を感じていた。

カポーのこの気持ちには、すでに何日も前から恩恵をこうむっていた。それはカポーが、もっとも多いときで二百八十人からなるわたしたちの中隊の第一列の五人のなか、つまり自分のすぐそばにわたしを並ばせてくれたことにあらわれていた。これには大きな意味があった。想像してみてほしい。早朝、あたりはまだまっ暗だ。わたしたちは整列した。だれもが、遅れてうしろのほうに並ばなければならなくなるのを恐れて、震えていた。なぜなら、ほかの嫌われている「労働部隊」に人が必要になると、収容所の上官がやってきた。もっとも恐れられた瞬間だ。上官はたいてい最後尾から必要な人数を呼び出した。すると、それらの人びとはいろんな理由でことのほか恐れられている、見知らぬ不慣れな労働部隊に向けて行進していかなければならなかったからだ。

しかし、収容所の上官は、「当てこんでいる連中」の思惑《おもわく》をくじくために、まさに最前列の五人を「かっさらう」こともあった。懇願も抗議も、何発かの狙い定めた足蹴《あしげ》で黙らせられ、選ばれた犠牲者は小突かれ、どなられながら点呼場に駆り立てられていった。だがカポーのカウンセリングが続いているかぎり、そのようなことはわたしの身にはふりかからない。わたしはカポーの隣りの特等席を確保していた。

もうひとつある。ほとんどの被収容者と同じく、このころわたしは飢餓浮腫《ふしゅ》に悩まされていた。脚はぱんぱんにふくらんで、皮膚はろくに膝が曲がらないほど突っ張っていた。靴は紐《ひも》を結ばずに、腫《は》れあがった足を突っこむしかなかった。ぼろ布か靴下のようなものは、あったとしても、それを履《は》いたうえに靴を履くことは無理だった。それで、半ばむき出しの足はいつも濡れていて、靴には雪が入りこんだ。これではもちろん、足はすぐに凍傷《とうしょう》になり、霜焼けは崩れた。まさに一歩一歩が地獄の苦しみだった。しかも、雪原を行進すると、ぼろ靴の底に雪がくっつく。仲間たちはしょっちゅう転び、続く者たちが将棋倒しになった。すると、その部分で行進はつっかえ、列が途切れてしまう。だが、それも長いことではない。すぐさま同行の監視兵がとんできて銃床《じゅうしょう》で殴りかかり、ただちに立ちあがらせるからだ。

　行進している位置が先頭に近ければ近いほど、うしろのほうでどんなに列が乱れても累《るい》はおよばない。したがって、何度も立ち止まらずにすむし、そうすればどんなに足が痛くても駆け足で追いつかねばならないこともない。だから、カポー殿の名誉あるおかかえ精神科医として、第一列めの彼の隣りを歩くことができ、おかげでずっと同じ歩調で行進できるのは、どれだけありがたいことだったか。

余禄はまだあった。作業現場で昼食のスープが配られるとき、カポーはわたしの番になると、レードルをいくらか深く突っこんで、樽の底のほうから豆を数粒すくいあげてくれた。

このカポーはかつては将校だったが、こんなときにも人間としての勇気を失ってはいなかった。わたしに腹を立てた現場監督をわきへ呼んで、わたしのことを、いつもは「優秀な労働者」なのだと耳打ちしてくれたのだ。それはなんの甲斐もなく、わたしは打ちすえられた。それでも、わたしの延命にまたひとつ、好都合なことが起こった。翌日、カポーはわたしをさりげなくほかの労働部隊に押しこんでくれたのだ。

この、はたから見ればどうということもないエピソードが示すのは、かなり感情が鈍磨《どんま》した者でもときには憤怒《ふんぬ》の発作に見舞われる、それも、暴力やその肉体的苦痛ではなく、それにともなう愚弄《ぐろう》が引き金になる、ということだ。現場監督がなにも知らないくせにわたしの人生を決めつけるのをただ聞いているしかなかったとき、わたしはかっと頭に血がのぼった。「こんな男、下劣で粗暴で、うちの診療所の看護婦だったら、待合室から追い出しただろう」(と考えて、まわりの仲間の手前、子供っぽくわれとわが身をなぐさめたことを白状しなければならない)

わたしたちに同情し、わたしたちの境遇をせめて作業現場にいるあいだだけでもましなものにしようと、できるかぎりのことをする監督もいた。そんな彼らですらくどくどと、ふつうの労働者はわたしたちのノルマよりも数倍の仕事をもっと短時間でこなす、と言った。けれども、ふつうの労働者はわたしたちのように、日に三百グラムのパン（というのは表向きで、実際はもっと少ない）と一リットルの水のようなスープで暮らしてはいないし、わたしたちのように、収容所に連れてこられた家族がすぐさまガス室送りになったのかどうかまったくわからないという精神的重圧にうちひしがれてもいないし、毎日毎時、死に脅《おびや》かされてもいない、などと抗弁すると、この監督たちは、それもそうだと言ってくれた。わたしは気のいい現場監督に向かって、こんなことを言ったこともある。

「現場監督殿、わたしがあなたから土木作業を習得したように、あなたがわたしのもとで数週間のうちに脳穿刺《のうせんし》をものにしたら、心から尊敬しますよ」

すると、現場監督はくっくっと笑った。

第二段階の主な徴候である感情の消滅は、精神にとって必要不可欠な自己保存メカニズムだった。現実はすっかり遮断された。すべての努力、そしてそれにともなうすべての感情生活は、たったひとつの課題に集中した。つまり、ただひたすら生命を、自分の生命を、そして仲間の生命を維持することに。それで、夕方、作業現場から収容所にもどってきた仲間たちが、あの深ぶかとしたため息とともにこう言うのを、耳にたこができるほど聞くことにもなったのだ。
「やれやれ、また一日が終わったか」

被収容者の夢

このような精神的に追いつめられた状態で、露骨に生命の維持に集中せざるをえないというストレスのもとにあっては、精神生活全般が幼稚なレベルに落ちこむのも無理はないだろう。被収容者仲間のうち、精神分析に関心のある同業者たちのあいだでは、収容所における人間の「退行」、つまり精神生活が幼児並みになってしまうことがよく話題になっていた。この願望や野心の幼児性は、被収容者の典型的な夢にはっきりとあらわれた。

被収容者がよくみる夢とは、いったいどんなものだったか。被収容者はパンの、ケーキの、煙草の、気持ちのいい風呂の夢をみた。もっとも素朴な欲求がみたされないので、素朴な願望夢がそれをみたしてくれたのだ。そうした夢をみた者にとって、収容所生活という現実に目覚め、夢の幻影と収容所の現実のおぞましいばかりのギャップを感じたとき、夢がどのような意味をもつかは、また別の話だ。

とにかく、あれは忘れられない。ある夜、隣りで眠っていた仲間がなにか恐ろしい悪夢にうなされて、声をあげてうめき、身をよじっているので目を覚ました。以前からわたしは、恐ろしい妄想や夢に苦しめられている人を見るに見かねるたちだった。そこで近づいて、悪夢に苦しんでいる哀れな仲間を起こそうとした。その瞬間、自分がしようとしたことに愕然《がくぜん》として、揺り起こそうとさしのべた手を即座に引っこめた。そのとき思い知ったのだ、どんな夢も、最悪の夢でさえ、すんでのところで仲間の目を覚まして引きもどそうとした、収容所でわたしたちを取り巻いているこの現実に較べたらまだましだ、と……。

飢え

被収容者は考えられるかぎりの最悪の栄養不足に悩まされていたので、収容所での精神生活に「呼びもどされた」幼稚な衝動のなかでも、食欲がその中心になった。

被収容者がおおぜいで作業現場にいるとき、監視の目がゆるんだとする。すると、すぐに食べ物談義が始まるのだ。ひとりが、隣りの溝で働いているだれそれはこんなものが好きなんだとさ、と始めるのだ。それから、レシピの交換やら、解放され、家にもどったらたがいに再会を祝ってささやかな宴《うたげ》を開こう、そしてこんなものを食べようと、メニューを数えあげる。空想はそれこそきりがない。それは突然、決まった数字などの暗号で知らせが溝に伝わってくるまで続いた。見張りが来るぞ！

わたしは、この際限のない、ほとんど強迫観念めいた食べ物談義（収容所ではこういう会話を「胃袋オナニー」と呼んでいた）を、常づね困ったものだと考えていた。極端に少ない量やカロリーになんとか順応した体は、ごちそうの連想という強烈な刺激で挑発するべきではないのだ。幻想は心をつかのま満足させても、かならず体によくない作用をおよぼす。

最後のころの一日の食事は、日に一回あたえられる水としか言えないようなスープと、人をばかにしたようなちっぽけなパンで、それに「おまけ」がついた。それは二十グラムのマーガリンだったり、粗悪なソーセージひと切れだったり、チーズのかけら、代用蜂蜜、水っぽいジャムがスプーンに一杯などなどで、これは日替わりだった。重労働や、極寒の野外で過ごすこと、さらには衣服がおそまつなことからすれば、この食事ではカロリーがまったく不足していた。「静養」中の病人、つまり寝ていることを許され、労働のために収容所を出なくてもいい人びとの食事はさらにひどかった。

皮下脂肪の最後の最後までを消費してしまうと、わたしたちは骸骨が皮をかぶって、その上からちょろっとぼろをまとったようなありさまになった。すると、体が自分自身をむさぼりはじめたのがよくわかる。有機体がおのれの蛋白質を食らうのだ。筋肉組織が消えていった。

そうなるともう、体には抵抗力など皆無だった。居住棟の仲間はばたばたと死んでいった。つぎはだれか、自分の番はいつ回ってくるか、だれでもかなり正確に予見できた。いろいろ見聞きしているために、確実に死期を予言できる徴候をいやというほど知っていたのだ。「あいつはもう長くない」とか、「つぎはあいつだな」などと、わたしたちはささやきあった。そして、夜は寝る前にシラミを取るのだが、そのとき自分の裸の体を見て考えることは、みな同じだった。これがわたしの体か？　これはもう死体じゃないか。わたしとはいったいなんだ。人の肉でしかない大群衆の、けちなひと切れだ。鉄条網のなかでいくつかの掘っ立て小屋に押しこまれている群集、毎日きちんきちんと決まった割合で命を失い、腐っていく群衆のけちなひと切れだ。

被収容者たちが暇さえあれば、あるいは考えるゆとりさえあればすぐに飛びついた、食べることをめぐる、あるいは個々の好物をめぐる想念の強迫観念じみた性質は、すでに語ったとおりだ。こんなありさまだから、わたしたちのなかのかなり良質の人たちでさえ、ふたたびまがりなりにもましな食事ができるときがくれば、と切望したのも無理はない。それはけっして美食をしたいからではない。そのときがくれば、食べることしか考えられないような、人間としての尊厳にふさわしくない状況がついに終わるからだ。

飢えた者の心のなかで起こっている、魂をすり減らす内面の葛藤や意志の戦い。これは、身をもって体験したことのない人の想像を超えている。彼らにはこういうことはとうてい理解できないだろう。溝の底に立ち、つるはしを振るいながら、九時半か十時を告げるサイレンが鳴らないかと、四六時中、耳をそばだてている。「食事時間」の号令で始まる三十分の昼休みにならないかと、四六時中、待っている（食事時間がもうけられていたあいだの話だが）。現場監督がいやなやつでなければ現場監督に、あるいは通りすがりの市民に、四六時中、何度でも、今何時ですか、とたずねる。上着のポケットに、手袋をしていないのでかじかんだ手をつっこみ、小さなパンのかけらをいとおしそうになでる。ほんのひとかけむしって、口に持っていく。だが最後の意志の力をふりしぼってポケットにもどす。なぜなら、今朝、誓ったからだ。昼までがまんしよう、と。

最後のころには、一日一回、ほんの小さなパンが配給されるだけだったので、それをどう食べるのがいいとか悪いとか、わたしたちは延々、議論した。意見は大きく二手に分かれた。いっぽうは、もらったらすぐに全部食べる、と言う。これにはふたつの利点がある。ひとつは、すくなくとも日に一度は、いまいましい空腹をいっときなりと紛らわせることができること。もうひとつは、盗まれたりして配給のパンをなくすこともないということだ。だが、反対の陣営にもまた別の言い分があるのだった。わたしはこの反対側の陣営に与《くみ》していた。

それにはわたしだけの理由があった。収容所で暮らす二十四時間のうち、もっともおぞましいのは、朝、目を覚ますときだった。まだ明けやらぬ時刻、「起床」を命ずる号笛《ごうてき》が三度鋭く響き、わたしたちを疲労困憊の眠りから、切ない憧《あこが》れの夢から、無慈悲に引き離すとき、傷だらけで飢餓浮腫《ふしゅ》のために腫《は》れあがった足を濡れた靴にむりやり押しこもうと悪戦苦闘するとき、目覚めたとたんに靴紐《ひも》がわりの針金が折れたりして思わぬトラブルが生じ、嘆いたり悪態をついたりする声を耳にするとき、いつもはしっかりしている仲間たちが、濡れて縮んでしまった靴を手に、雪のつもった点呼場にはだしで出ていかなければならないと、子供のようにすすり泣いているのを聞くとき――この陰惨なひとときに、わたしにはかすかななぐさめがあった。ゆうべ取りおいたパンのかけらをポケットから出し、それを――一心不乱に――むさぼり食うのだ。

性的なことがら

第二段階、つまり収容所生活に適応した段階にある被収容者を襲う本能は、栄養不良のために食欲を意識の全面に押し出したのだが、いっぽうで、栄養不良は性欲がきれいさっぱりなくなったことも説明してくれるだろう。心理学者として注目すべきことに、この男だけの集団生活の場では、ほか(たとえば兵舎など)と違って、はじめのショックの段階をのぞけば「ホモセクシュアル行為」は見受けられなかった。

被収容者はほとんどまったくと言っていいほど、性的な夢をみなかった。他方、精神分析で言う「手の届かないものへのあがき」、つまり全身全霊をこめた愛への憧《あこが》れその他の情動は、いやというほど夢に出てきた。

非情ということ

ほとんどの被収容者は、風前《ふうぜん》の灯火《ともしび》のような命を長らえさせるという一点に神経を集中せざるをえなかった。原始的な本能は、この至上の関心事に役立たないすべてのことをどうでもよくしてしまった。被収容者がものごとを判断するときにあたりまえのように見せる徹底した非情さも、そこから説明がつく。アウシュヴィッツからバイエルン地方のダッハウ支所に送られたとき、わたしはまだそういうことにそれほど慣れてはいなかったのだが、このときそれをあからさまに思い知った。

わたしたち、およそ二千人の被収容者を運ぶ列車は、ウィーンを経由した。列車は真夜中に、ウィーン市内のとある駅に停まった。もうすこし走ると、線路はある通りと交叉するのだが、その家並みの一軒でわたしは生まれ、追放された日まで何十年もそこで暮らしていた。

わたしたちは、狭苦しい護送車に五十人ずつつめこまれていた。護送車には、鉄格子のはまった小さなのぞき窓がふたつあいている。床に坐れるのは一部の者たちだけで、あとは何時間も立っていなければならなかったのだが、彼らはたいていのぞき窓に押しあいへしあいしていた。わたしもそのなかにいた。爪先立ち、人びとの頭越しに、そして鉄格子の向こうに見たふるさとの町は、やけに幽霊じみていた。わたしたちはみな、生きているというより死んでいるような気持ちがした。列車はマウトハウゼンに向かっているらしく、だったら長くて一、二週間の命だな、とわたしたちは見積もっていた。わたしが子供時代を過ごしたふるさとの通りや広場や家並みが見えても、まるで自分がすでに死んでいて、死者としてあの世から、この幽霊じみた町を幽霊になって見下ろしているような気がした。これはなまなましい感覚だった。数時間停車して、今、列車は駅を出る。あの通りに、わが家のある通りにさしかかる！　わたしは頼みはじめた。のぞき窓の眺めに見入っていたのは、収容所暮らしが長く、このような旅がことのほか物珍しい若者たちだった。わたしは頼んだ。ほんのすこしのあいだ、前に行かせてくれないか、と。そして、わたしにとって外をひと目見るとはどういうことか、わかってもらおうとした。懇願はしかし、半ば邪険に、半ば嘲笑ぎみに却下され、こんな言葉で片づけられた。

「そんなに長いこと住んでたのか。だったらもうさんざん見たろう」

政治と宗教

収容所暮らしが長い被収容者のこうした非情さは、いかに生きのびるかというぎりぎり最低限の関心事に役立たないことはいっさいどうでもいい、という感情のあらわれだ。被収容者は、生きしのぐこと以外をとてつもない贅沢《ぜいたく》とするしかなかった。あらゆる精神的な問題は影をひそめ、あらゆる高次の関心は引っこんだ。文化の冬眠が収容所を支配した。

さもありなんというこうした現象にも、ふたつだけ例外があった。ひとつは政治への関心。これは理解できる。もうひとつは、意外なことに、宗教への関心だ。

収容所では、政治はいつでもどこでも関心の的だった。人びとは熱心に、戦況がどうなっているかなど、伝わってくるうわさを仕入れてはまた流した。しかし、うわさ同士はたいてい矛盾しているので、つじつまのあわないうわさがつぎつぎと流れてくる結果はただひとつ、被収容者の心をすり減らす「神経戦」をひきおこしただけだった。楽観的なうわさは、もうすぐ戦争が終わるという希望をもたらし、希望は何度も何度も失望に終わったために、感じやすい人びとは救いがたい絶望の淵に沈んだ。往々にして、仲間うちでも根っから楽天的な人ほど、こういうことが神経にこたえた。

被収容者が宗教への関心に目覚めると、それはのっけからきわめて深く、新入りの被収容者は、その宗教的感性のみずみずしさや深さに心うたれないではいられなかった。とりわけ感動したのは、居住棟の片隅で、あるいは作業を終え、ぐっしょりと水がしみこんだぼろをまとって、くたびれ、腹をすかせ、凍《こご》えながら、遠い現場から収容所へと送り返されるときに、閉め切られた家畜用貨車の闇《やみ》のなかで経験する、ささやかな祈りや礼拝だった。

一九四五年の冬から春にかけて、ほとんどすべての被収容者が発疹チフスにやられた。体力が落ちているのに最後まで重労働をさせられ、手遅れになってから運びこまれた患者たちは、ろくに薬もあたえられず手当も受けられずにばたばたと死んでいった。それは措《お》くとしても、発疹チフスにかかると、ぞっとするような不快な症状に襲われた。ひと口食べるごとに、猛烈な吐き気がこみあげるのだ（これは生命をますます危険にさらすことになる）。そして、おぞましい譫妄《せんもう》！　これに抗するために、わたしはみんなと同じことをした。夜っぴて目を覚ましていようとしたのだ。何時間も、わたしは心のなかでひとりごとを紡いだ。しまいには、アウシュヴィッツの消毒棟で手放さざるをえなかったあの原稿を、速記記号をつかってちっぽけな紙切れに再現しはじめた。しかし仲間のひとりが閲《けみ》しなければならなかった譫妄のむごさを、いまだかつてわたしは知らない。その仲間は発疹チフスで高熱を発し、死期が近いことを悟って祈ろうとしたのだが、高熱がひきおこす譫妄のために、祈りの言葉が出てこなかったのだ……。

収容所でも、たまには知的な議論が交わされることがあった。一度などは、わたしの専門に近いと言えなくもないのだが、以前ごくふつうの生活をしていたときにはとんと縁がなかったことすら経験した。降霊術だ。

わたしが心理学の専門家らしいと見当をつけた収容所の医師から、秘密の集会に呼ばれたのだ。集会は、医師が寝起きに使っている、静養棟内の小部屋で開かれた。そこにわずかばかりの人びとが集まった。顔ぶれのなかには、収容所規則に違反して参加した衛生下士官もいた。ひとりの外国人が祈りめいたものを唱えて、霊の呼び出しにかかった。静養棟の書記が白紙を前にして坐り、手にした鉛筆で、いっさいなにも考えずになにごとかを記す手筈《てはず》になっていた。十分が過ぎたところで、降霊は終わった。霊か霊媒がうち切ったらしい。すると、書記の鉛筆が紙にごくゆっくりと数本の線を描いた。それははっきりと〈vae v〉と読めた。だれかが、この書記はラテン語を習ったことがなく、〈vae victis!〉(哀れなるかな、征服せられし者よ!)ということばも聞いたことがない、と請けあった。

だが、もしも意見を求められれば、わたしはこう言っただろう。この人はかつていつか、何気なくこの言葉を耳にし、意味も教えてもらったことがある、そして、わたしたちの解放つまり終戦をほんの数カ月後にひかえていた当時の状況にあっては、「霊」(つまりは下意識の精神）がこの言葉を思いつくのは理の当然だ、と。

内面への逃避

強制収容所に入れられた人間は、その外見だけでなく、内面生活も未熟な段階にひきずり下ろされたが、ほんのひとにぎりではあるにせよ、内面的に深まる人びともいた。もともと精神的な生活をいとなんでいた感受性の強い人びとが、その感じやすさとはうらはらに、収容所生活という困難な外的状況に苦しみながらも、精神にそれほどダメージを受けないことがままあったのだ。そうした人びとには、おぞましい世界から遠ざかり、精神の自由の国、豊かな内面へと立ちもどる道が開けていた。繊細な被収容者のほうが、粗野な人びとよりも収容所生活によく耐えたという逆説は、ここからしか説明できない。

このことをすこしでもわかってもらうために、またしてもあえて個人的なことを語ろうと思う。当時、わたしたちが朝早く、収容所から「工事現場」へと向かうとき、そのありさまはどんなだっただろう。

号令が響きわたる。

「ヴァイングート労働中隊、足並みそろえて、前へ、進め！　左－二－三－四、左－二－三－四、左－二－三－四、左－二－三－四！　先頭、横の列が乱れとるぞ！　左－右－左－右－左、脱帽！」

記憶は今も耳になまなましい。「脱帽！」のかけ声とともに、わたしたちは収容所のゲートをくぐった。サーチライトがいくつもわたしたちに向けられた。このとき、びしっと姿勢よく五列横隊になって行進していないと、長靴《ちょうか》のかかとでしたたかに蹴りを入れられた。しかも、帽子をかぶってよしとの命令が出ないうちに、寒さのあまり帽子をかぶってしまった者には、さらに悪いことが待ち受けていた。

今わたしたちは、暗いなか、大きな石ころや幅が数メートルもある水たまりを越えて、収容所の道を外へとよろめき歩いていく。護衛の監視兵はひっきりなしにどなり、銃床《じゅうしょう》で追いたてる。足をひどく傷《いた》めている者は、それほどでもない隣りの男にすがっている。わたしたちはほとんどひとことも交わさない。日の出前の風は氷のように冷たく、口をきかないほうが得策なのだ。

隣りを歩いていた仲間が、立てた上着の襟《えり》で口元をかばいながら、ふいにつぶやいた。

「ねえ、君、女房たちがおれたちのこのありさまを見たらどう思うだろうね……！　女房たちの収容所暮らしはもっとましだといいんだが。おれたちがどんなことになっているか、知らないでいてくれることを願うよ」

そのとき、わたしは妻の姿をまざまざと見た！

もはやなにも残されていなくても

雪に足を取られ、氷に滑り、しょっちゅう支え支えられながら、何キロもの道のりをこけつまろびつ、やっとの思いで進んでいくあいだ、もはや言葉はひとことも交わされなかった。だがこのとき、わたしたちにはわかっていた。ひとりひとりが伴侶に思いを馳《は》せているのだということが。

わたしはときおり空を仰いだ。星の輝きが薄れ、分厚い黒雲《くろくも》の向こうに朝焼けが始まっていた。今この瞬間、わたしの心はある人の面影《おもかげ》に占められていた。精神がこれほどいきいきと面影を想像するとは、以前のごくまっとうな生活では思いもよらなかった。わたしは妻と語っているような気がした。妻が答えるのが聞こえ、微笑《ほほえ》むのが見えた。まなざしでうながし、励ますのが見えた。妻がここにいようがいまいが、その微笑みは、たった今昇ってきた太陽よりも明るくわたしを照らした。

そのとき、ある思いがわたしを貫いた。何人もの思想家がその生涯の果てにたどり着いた真実、何人もの詩人がうたいあげた真実が、生まれてはじめて骨身にしみたのだ。愛は人が人として到達できる究極にして最高のものだ、という真実。今わたしは、人間が詩や思想や信仰をつうじて表明すべきこととしてきた、究極にして最高のことの意味を会得《えとく》した。愛により、愛のなかへと救われること！　人は、この世にもはやなにも残されていなくても、心の奥底で愛する人の面影に思いをこらせば、ほんのいっときにせよ至福の境地になれるということを、わたしは理解したのだ。

収容所に入れられ、なにかをして自己実現する道を断たれるという、思いつくかぎりでもっとも悲惨な状況、できるのはただこの耐えがたい苦痛に耐えることしかない状況にあっても、人は内に秘めた愛する人のまなざしや愛する人の面影を精神力で呼び出すことにより、満たされることができるのだ。わたしは生まれてはじめて、たちどころに理解した。天使は永久《とわ》の栄光をかぎりない愛のまなざしにとらえているがゆえに至福である、という言葉の意味を……。

目の前の仲間が倒れ、あとに続く者たちもつられて転んだ。監視兵がさっそくとんできて殴りかかった。数秒間、わたしの想像の生活は中断された。だが、魂は瞬時に立ち直り、ふたたび被収容者であるここからあらぬかたへと逃れて、また愛する妻との会話を再開した。わたしが問いかけると、妻は答えた。妻が問えば、わたしが答えた。

「止まれ！」

工事現場に着いた。

「全員、道具を持て！　つるはしとシャベルだ！」

みんなは、使いやすいシャベルやしっかりしたつるはしを手に入れようと、まっ暗な小屋に殺到した。

「早くしろ、この豚犬野郎！」

ほどなく、わたしたちは壕《ごう》の中にいた。きのうもそこにいた。凍《い》てついた地面につるはしの先から火花が散った。頭はまだぼうっとしており、仲間は押し黙ったままだ。わたしの魂はまだ愛する妻の面影《おもかげ》にすがっていた。まだ妻との語らいを続けていた。まだ妻はわたしと語らいつづけていた。そのとき、あることに思い至った。妻がまだ生きているかどうか、まったくわからないではないか！

そしてわたしは知り、学んだのだ。愛は生身《なまみ》の人間の存在とはほとんど関係なく、愛する妻の精神的な存在、つまり（哲学者のいう）「本質《ゾーザイン》」に深くかかわっている、ということを。愛する妻の「現存《ダーザイン》」、わたしとともにあること、肉体が存在すること、生きてあることは、まったく問題の外なのだ。愛する妻がまだ生きているのか、あるいはもう生きてはいないのか、まるでわからなかった。知るすべがなかった（収容生活をとおして、手紙は書くことも受け取ることもできなかった）。だが、そんなことはこの瞬間、なぜかどうでもよかった。愛する妻が生きているのか死んでいるのかは、わからなくてもまったくどうでもいい。それはいっこうに、わたしの愛の、愛する妻への思いの、愛する妻の姿を心のなかに見つめることの妨げにはならなかった。もしもあのとき、妻はとっくに死んでいると知っていたとしても、かまわず心のなかでひたすら愛する妻を見つめていただろう。心のなかで会話することに、同じように熱心だったろうし、それにより同じように満たされたことだろう。あの瞬間、わたしは真実を知ったのだ。

「われを汝《なんぢ》の心におきて印《おしで》のごとくせよ……其《そ》は愛は強くして死のごとくなればなり」（「雅歌」第八章第六節）

壕《ごう》のなかの瞑想

資質に恵まれた者が収容所生活で経験する内面化には、空《むな》しく殺伐《さつばつ》とした現在や精神的な貧しさから過去へと逃れるという道も開いていた。一心不乱に、想像を駆使して繰り返し過去の体験に立ち返るのだ。たいした体験ではない。過去の生活のありふれた体験やごくささいなできごとを、繰り返しなぞるのだ。そして、そういう思い出は被収容者の心を晴れやかにするというよりは、悲哀で満たした。

自分を取り巻く現実から目をそむけ、過去に目を向けるとき、内面の生は独特の徴《しるし》を帯びた。世界も今現在の生活も背後にしりぞいた。心は憧《あこが》れにのって過去へと帰っていった。路面電車に乗る、うちに帰る、玄関の扉を開ける、電話が鳴る、受話器を取る、部屋の明かりのスイッチを入れる――こんな、一見笑止なこまごまとしたことを、被収容者は追憶のなかで撫でさする。追想に胸がはりさけそうになり、涙を流すことすらある！

被収容者の内面が深まると、たまに芸術や自然に接することが強烈な経験となった。この経験は、世界やしんそこ恐怖すべき状況を忘れさせてあまりあるほど圧倒的だった。

とうてい信じられない光景だろうが、わたしたちは、アウシュヴィッツからバイエルン地方にある収容所に向かう護送車の鉄格子の隙間から、頂《いただき》が今まさに夕焼けの茜《あかね》色に照り映えているザルツブルクの山並みを見上げて、顔を輝かせ、うっとりとしていた。わたしたちは、現実には生に終止符を打たれた人間だったのに――あるいはだからこそ――何年ものあいだ目にできなかった美しい自然に魅了されたのだ。

また収容所で、作業中にだれかが、そばで苦役にあえいでいる仲間に、たまたま目にしたすばらしい情景に注意をうながすこともあった。たとえば、秘密の巨大地下軍需工場を建設していたバイエルンの森で、今まさに沈んでいく夕日の光が、そびえる木立《こだち》のあいだから射しこむさまが、まるでデューラーの有名な水彩画のようだったりしたときなどだ。

あるいはまた、ある夕べ、わたしたちが労働で死ぬほど疲れて、スープの椀を手に、居住棟のむき出しの土の床にへたりこんでいたときに、突然、仲間がとびこんで、疲れていようが寒かろうが、とにかく点呼場に出てこい、と急《せ》きたてた。太陽が沈んでいくさまを見逃させまいという、ただそれだけのために。

そしてわたしたちは、暗く燃えあがる雲におおわれた西の空をながめ、地平線いっぱいに、鉄《くろがね》色から血のように輝く赤まで、この世のものとも思えない色合いでたえずさまざまに幻想的な形を変えていく雲をながめた。その下には、それとは対照的に、収容所の殺伐《さつばつ》とした灰色の棟の群れとぬかるんだ点呼場が広がり、水たまりは燃えるような天空を映《うつ》していた。

わたしたちは数分間、言葉もなく心を奪われていたが、だれかが言った。

「世界はどうしてこんなに美しいんだ！」

灰色の朝のモノローグ

あるいは。

あなたは壕《ごう》の中で作業をしている。灰色の夜明けがあたりをつつむ。頭上の空はいちめん灰色だ。どんよりとした薄明《はくめい》に、雪も灰色だ。あなたの仲間が身にまとうぼろぼろの衣服も灰色だ。その顔も灰色だ。

あなたはまたしても、愛する妻と語らいはじめる。あるいは何千回めかに、天に向かって嘆き、問いつめる。何千回めかに、なんとか答えを得ようと煩悶《はんもん》する。わたしのこの苦しみにはどんな意味があるのだ、この犠牲に、こうしてじわじわと死んでいくことに、どんな意味があるのだ。

目前にある惨《みじ》めな死に最後の抵抗をこころみるうち、あなたは、いちめん灰色の世界を魂が突き破るのを感じる。最後の抵抗のうちに、魂がこの惨めで無意味な世界のすべてを超え、究極の意味を問うあなたの究極の問いかけにたいし、ついにいずこからか、勝ち誇った「しかり！」の歓喜の声が近づいてくる。

その瞬間、明けゆくバイエルン地方の朝の陰惨たる灰色一色のただなかに、地平線上にあたかも舞台の書割《かきわ》りのように浮きあがる、遠い農家の窓に明かりがともる。

〈et lux in tenebris lucet〉

光は暗黒《くらき》に照る……。

さて、あなたはまたしても何時間も凍《い》てついた大地を掘っていた。ほら、またしても監視兵がそばを通り過ぎ、ひと言ふた言、あなたを蔑《さげす》むようなことを言った。あなたはまたしても、愛する妻と語らいはじめる。妻はここにいる、という感覚はいよいよ強まり、あなたは妻をすぐそばに感じる。手を伸ばせば手を握れるような気すらする。感情の大津波があなたを襲う。妻は、ここに、いる！

そのとき、なんだ？　音もなく一羽の鳥が飛んできて、あなたのすぐ目の前の、あなたが壕から掘り出した土の山に降りる。鳥は身動きもせず、あなたに冷ややかな目をこらす。

先ほど、芸術と言った。収容所の芸術、そんなものがあるのだろうか。もちろん、何を芸術と呼ぶかだが。

ともあれ、時には即席の演芸会のようなものが開かれることがあった。居住棟が一棟、とりあえず片づけられて、木のベンチが運びこまれ、あるいはこしらえられて、演目が案配される。夕方には、収容所でいい待遇を受けている連中、たとえばカポーや、所外労働のために外に出ていかなくてもいい所内労働者が集まってくる。いっとき笑い、あるいは泣いて、いっとき何かを忘れるために。

歌が数曲、詩が数篇。収容所生活を皮肉ったギャグ。すべてはなにかを忘れるためだ。

実際、こうしたことは有用なのだ。きわめて有用なので、特別待遇とは縁のないふつうの被収容者のなかにも、日中の疲れもいとわずに収容所演芸会にやってくる者がいた。それと引き替えに、その日のスープにありつけなくなってさえ。

歌のうまい者はおおいにうらやましがられた。収容の初期には、半時間の昼休みに作業現場でスープが配られた（建設会社の負担だったので、安っぽいものだったが）。昼休み、わたしたちは建設中の工場に集まり、入り口で、それぞれがレードル一杯の水のようなスープをもらった。そんなものでも、わたしたちががつがつと流しこんでいると、ひとりの仲間が樽の上に立ち、イタリアオペラのアリアを歌った。わたしたちは音楽を楽しみ、その仲間はスープを二人前、奮発された。しかも「底のほうから」、つまり豆が入ったやつを。

収容所で報われたのは芸術だけではなかった。拍手喝采も報われた。これによってわたしは、収容所でも恐れられていたカポーに取り入ったことがある。幸い、この点数稼ぎを役立てる状況には立ち至らなかったが。この男は「人殺しカポー」と呼び慣わされていた。たぶんひとつふたつにとどまらない、れっきとした謂《い》われがあったのだろう。

そのいきさつはこうだ。ある夜、わたしに信じがたい「特権」がさずけられた。先に述べた降霊術がおこなわれた小部屋に、またしても招かれたのだ。このときも、医師（自身、被収容者だった）の親しい仲間が談笑に興じていた。このときも、衛生兵が規則に反して参加していた。

そこに例の人殺しカポーがふらりと入ってくると、一同は、収容所に知らない者もない自作の詩を朗読してくれよ、と頼んだ。カポーは詩を披露した。いそいそと日記帳のようなものを持ってきて、朗読しはじめたのだ。わたしは、その恋の詩を聞いているあいだ、吹き出さないように口元に力を入れ、命を守った。しかも、拍手を惜しまなかったが、このカポーの労働中隊に配属されたとしたら、やはりこのことでも命拾いしただろう。わたしはたったの一度、たったの一日だけ、このカポーの中隊に配属されたことがあったが、あんなことは一度でもうこりごりだった……。

とにかく、人殺しカポーに気に入られるのは好都合だった。それで、「恋《リーベ》」と「情欲《トリーベ》」、「心《ヘルツ》」と「痛み《シュメルツ》」がひっきりなしに韻を踏むカポーの恋の詩は噴飯《ふんぱん》ものだったにもかかわらず、わたしは手が痛くなるほど拍手した。

収容所の芸術活動がグロテスクこのうえなかったことは言うまでもない。芸術についてまわるこの特異性は、芸術とその背景にある惨《みじ》めな収容所生活が、この世のものとも思えないコントラストをなしていたからだ。

生涯忘れられないことがある。アウシュヴィッツに到着して二日めの夜、くたびれはてて泥のように眠っていたわたしは、音楽に目を覚ました。居住棟の班長が、棟の入り口を入ったところにある居室で、なにやら酒盛りをしているらしい。酔いの回った声で流行歌をがなりたてていた。ふいにしんとしたと思うと、ヴァイオリンが限りなく悲しい、めったに弾かれないタンゴを奏ではじめた……ヴァイオリンは泣いていた。わたしのなかでも、なにかが泣いていた。この日、二十四歳の誕生日を迎えた人がいたからだ。その人はアウシュヴィッツ収容所のいずれかの棟にいた。つまり、ここから数百メートル、あるいは数千メートル離れたところ、わたしの手の届かないところに。その人とは、わたしの妻だった。

収容所のユーモア

部外者にとっては、収容所暮らしで自然や芸術に接することがあったと言うだけでもすでに驚きだろうが、ユーモアすらあったと言えば、もっと驚くだろう。もちろん、それはユーモアの萌芽でしかなく、ほんの数秒あるいは数分しかもたないものだったが。ユーモアも自分を見失わないための魂の武器だ。ユーモアとは、知られているように、ほんの数秒間でも、周囲から距離をとり、状況に打ちひしがれないために、人間という存在にそなわっているなにかなのだ。

ひとりの気心の知れた仲間と数週間、建築現場で働いたとき、わたしはこの仲間にすこしずつユーモアを吹きこんだ。毎日、義務として最低ひとつは笑い話を作ろう、と提案したのだ。

それも、いつか解放され、ふるさとに帰ってから起こるかもしれないことを想定して笑い話を作ろう、と。この男は外科医で、以前は病院の外科で助手をしていたが、わたしはたとえば、この仲間がゆくゆく帰郷し、職場に復帰してからも、収容所暮らしの習慣がなかなか抜けないさまを描いてみせて笑いを誘った。前もって言っておかねばならないが、作業現場では現場監督がやってくると、監視兵はあわてて作業スピードを上げさせようとして、「動け、動け！」とどなって労働者を急《せ》きたてた。

さて、わたしの話はこうだ。

あるとき、きみは昔のようにオペ室で長丁場の胃の手術をしている。突然、オペ室のスタッフが叫びながら飛びこんでくる。「動け、動け！」つまり「外科医長が来たぞ！」というわけだ。

仲間たちも、似たような滑稽な未来図を描いてみせた。夕食に招かれた先で、スープが給仕されるとき、ついうっかりその家の奥さんに、作業現場で昼食時にカポーに言うように、豆が幾粒か、できればじゃがいもの半切りがスープに入るよう、「底のほうから」お願いします、と言ってしまうんじゃないか、など。

ユーモアへの意志、ものごとをなんとか洒落《しゃれ》のめそうとする試みは、いわばまやかしだ。だとしても、それは生きるためのまやかしだ。収容所生活は極端なことばかりなので、苦しみの大小は問題ではないということをふまえたうえで、生きるためにはこのような姿勢もありうるのだ。

たとえば、こうも言えるだろう。人間の苦悩は気体の塊《かたまり》のようなもの、ある空間に注入された一定量の気体のようなものだ。空間の大きさにかかわらず、気体は均一にいきわたる。それと同じように、苦悩は大きくても小さくても人間の魂に、人間の意識にいきわたる。人間の苦悩の「大きさ」はとことんどうでもよく、だから逆に、ほんの小さなことも大きな喜びとなりうるのだ。

たとえを挙げよう。わたしたちがアウシュヴィッツから、バイエルン地方にあるダッハウの支所に送られたときのようすはどうだったか。わたしたちは、移送といえばガス室のあるマウトハウゼン行きだ、と恐れていた。列車がドナウ川に架かる橋に近づくたびに、わたしたちは緊張した。同行の、収容所暮らしの長い仲間が断言するには、マウトハウゼンへは本線からはずれて橋を渡っていくのだという。護送車に詰めこまれた被収容者が、移送団は「ただ」ダッハウに向かっているだけだと気づいたときの、文字通り小躍《こおど》りせんばかりの喜びは、このようなことを体験したことのない者にはとうてい想像できないだろう。

そしてまた、二日三晩の旅の果てにダッハウの支所に到着したときはどうだったか。前にも述べたように、狭い護送車では、全員が床に腰をおろすわけにはいかなかった。大半は長旅のあいだ、ほとんど立っていなければならなかった。ほんの少人数だけが、交代で、わずかな藁《わら》にうずくまることができた。藁は小便でじとじとに濡れていた。

到着したとき、わたしたちはくたびれ果てていた。支所にいた被収容者が、重要な第一報をもたらした。この小規模収容所（最大収容人数二千五百名）には「かまど」がない、と。つまり焼却炉もガス室もないのだ。だれかが「ムスリム」になったとしても、ガス室に直行はさせられない、事前にアウシュヴィッツへのいわゆる病人移送団が編成されるということだった。ガス室直行という生命の危険に、かろうじてひと呼吸置かれたわけだ。アウシュヴィッツの医師から、できるだけ早くアウシュヴィッツのような「かまど」のない収容所に移れるといいな、と言われていたのだが、ありがたいことにそれがかなえられたと知って、わたしたちの喜びよう、驚きようといったらなかった。じつにいい気分だった。

そう、このいい気分に任せて、わたしたちは笑ったり、冗談をとばしたりした。続く数時間には、まだ苦痛が待ちかまえていたというのに。

わたしたちの移送団で新たに到着した被収容者が、何度点呼しても、一名足りなかったのだ。

その男が見つかるまで、わたしたちは長いこと、雨と寒さのなか、点呼場に立っていなければならなかった。その男は、ついにとある居住棟から引きずり出された。疲労困憊《こんぱい》して、眠りこけていたのだ。この時点から、長ったらしい点呼は懲罰点呼へと切り替わった。ひと晩中、そしてつぎの日の午前中も、苦しい長旅のあと、ぐっしょりと濡れそぼち、体の芯《しん》まで凍えて、点呼場に立ちつくしていなければならなかった。なのに、わたしたちは全員、うれしくてわくわくするばかりだったのだ。この収容所には「かまど」がない、アウシュヴィッツははるかかなただ……。

刑務所の囚人への羨望

あるいはまた作業現場で、ふつうの受刑者の一団が通り過ぎるのを見たときの、わたしたちの心境はどうだったか。どちらも苦しい状況にあるとは言え、違いは歴然としていた。こちらより規則正しく、安全で、衛生的な生活をしている受刑者たちを、わたしたちがどれほどうらやんだことか。あの連中は何日おきかには風呂に入っているんだろうなあ、と考えて、わたしたちはやるせない思いにうちひしがれた。連中は歯ブラシや、洋服ブラシだって持ってるんだろう、マットレスはないにしてもひとりに一台の寝台があって、毎月郵便物も受け取れて、家族がどうしているかを、そうさ、生きていることを知ることができる。なのに、わたしたちはそのすべてをとっくに失っているのだ。

あるいは、どこかの工場に派遣され、屋内で働けるというとほうもない幸運に恵まれた仲間のだれかれが、どんなにうらやましかったことか。命をつなぐため、そのような幸運がわが身にふりかかることを、全員がどれほど願ったことか。

どちらがましかという、運不運の階梯《かいてい》はまだ続く。仲間内でも、労働中隊で所外に出なければならないとき、きつい中隊に配属された者は、粘土層に足を取られながら、切り立った断崖で、日に十二時間もトロッコの土を空けつづけるという不運をまぬがれた者をうらやんだ。この中隊では、ほとんど毎日のように事故が起き、死人が出ることもしょっちゅうだった。ほかの不運な中隊には、たぶんそこの伝統なのだろう、すぐに鉄拳をふるうきびしい監視兵がいたので、この中隊に長いこと配属されないだけでも、まだついていると見なされた。

あるときわたしは、じつに不運なことに、この労働隊に入ったことがあった。監視兵がわたしに特別に課した作業はしかし、二時間後に空襲警報によって中断され、その後、労働力の再編成が避けられなくなったのだが、万が一そうならなかったとしたら、あのときわたしはきっと、橇《そり》に乗せられて収容所に帰ったことだろう。橇に乗せられるのは、疲労困憊《こんぱい》で死にそうな仲間か、すでに息絶えた仲間だけだった。

このような状況では、空襲警報のサイレンがどれほど救いだったか、一ラウンドの終わりを告げるゴングにあやうくノックアウトをまぬがれたボクサーでも、けっして思い描けない。

なにかを回避するという幸運

ほんのささいな恐怖をまぬがれることができれば、わたしたちは運命に感謝した。宵の口、横になる前にシラミ退治ができれば、わたしたちはもうそれだけで喜んだ。屋根から（室内に！）つららがぶら下がる、火の気のない収容棟で、裸になってシラミを取ること自体は、面白くもなんともない。けれども、たとえば空襲警報が鳴って急に明かりが消え、おかげでシラミ退治を最後までやりとげられなかった、などということにならなかったことを、わたしたちは喜んだ。シラミ退治が中途半端だと、夜もおちおち眠れないのだ。

もちろん、収容所生活のこうした惨《みじ》めな「喜び」は、苦痛をまぬがれるという、ショーペンハウアーが言う否定的な意味での幸せにほかならないし、それもここまで述べてきたように、

「……よりはまだまし」という意味でしかない。

積極的な喜びには、ほんの小さなものですら、ごくまれにしか出会えなかった。喜びの総ざらいをしてみたことがあるが、そのときのことは鮮明に憶えている。積極的な喜びを味わった経験を数えてみたら、長い、ほんとうに長いあいだに、わたしは心からうれしいと思った瞬間をたったの二回しか経験していなかった。

それはたとえば、作業現場から収容所に帰ってきて、炊事棟の前で長いこと待たされたすえに中に入れられ、厨房《ちゅうぼう》係の被収容者Fが仕切る列に並ぶように指示されたときだった。Fは大鍋のそばに陣取って、仲間が列をなしてせかせかと進みながらさしだす皿にスープを注いでいた。Fは、皿をさしだす者の顔を見ない、たったひとりの厨房係だった。スープを文字どおり「人を見ないで」公平に分け、個人的なつきあいのある者や同郷の者をえこひいきして、鍋の底のほうからじゃがいもをすくってやり、そのいっぽうでほかの者たちにはしゃびしゃびの水のようなスープを「上から」すくわない、たったひとりの厨房係だったのだ……。

そうは言っても、身内を特別扱いした厨房係を責めるつもりはない。だれもが遅かれ早かれ生死の分かれ目に立たされるという状況で友だちを優遇した人間に、だれが石を投げる気になるだろう。石を手にするなら、自分がその立場だったらやはりそうしないだろうか、と胸に手を当てて考えてからにするべきだ。

収容所から解放され、まっとうな生活にもどってからかなりたったあるとき、だれかがわたしに雑誌に載った写真を見せた。それは強制収容所の被収容者を写したもので、被収容者たちは蚕棚《かいこだな》のような段ベッドにぎゅう詰めになって横たわり、うつろなまなざしを撮影者に向けていた。

「おぞましいじゃありませんか、このひどい顔といい、なにもかもが、ねえ?」

「そうですか?」

わたしはたずねた。ほんとうに、相手の言うことがさっぱりわからなかった。なぜならこの瞬間、わたしの心にはある光景が浮かんだからだ。

朝の五時。外はまだまっ暗だ。わたしは硬い板敷きに横たわっていた。床はむき出しの土だ。およそ七十人の仲間がいっしょに「静養」していた。つまり、わたしたちは病気と認められ、収容所から足並みそろえて作業現場に向かわなくてもいいのだ。点呼にも出なくていい。一日じゅう、棟のきゅうくつな場所でごろごろし、うつらうつらしていてもいいのだ。一日一度、「静養患者」用の減量されたパンと、思いきり薄く、思いきり少ないスープが配られるのを待っていればよかった。

こんなありさまなのに、わたしたちはなんと満足していたことだろう。幸福ですらあった。ぬくもりを逃さないように体と体をぴったりくっつけ、どうしても必要でないかぎり、文字どおりぴくりとも動かずに、不感無覚でただもうぐったりしていると、外の点呼場から鋭い笛の音と号令が聞こえてきた。今もどってきた夜間シフトの労働中隊が行進しているのだ。

扉が引き開けられ、吹雪《ふぶき》が吹きこんだ。疲れきった仲間が雪まみれになって、よろよろと倒れこんだ。ほんの数分、板敷きにうずくまりたかったのだ。だが、棟の班長はこの仲間を追い出した。点呼のあいだ、静養棟に部外者を入れることはかたく禁じられていたからだ。わたしはどんなにこの仲間に同情したことか。そしてこの瞬間、わたしがこの仲間ではないことを、「静養中」の身であることを、まだまだ静養棟でうとうとしていてもいいことを、どんなにうれしく思ったことか。診療所で二日の静養を認められ、さらに二日の延長を認められるということが、生き延びるためにどれだけ大きな意味をもっていたことか。

発疹チフス収容所に行く?

だが、わたしの幸運はこれにとどまらなかった。

四日後に夜間シフトの労働中隊に配属されることになったとき、わたしの死はもう決まったようなものだった。ところが、医長がふらりと静養棟にやってきて、発疹チフス患者が集まっている収容所に医師として勤務することを志願しないか、と言ったのだ。友人たちが懸命にとめるのを聞かず、またほかの怠惰な同業者の打算的なふるまいを尻目に、わたしはその場で志願した。労働中隊に入ればまもなく死ぬことは目に見えていた。どうせ死ぬなら、意味のある死に方をしたい。どう考えても、医師としてすこしでも病気の仲間の力になれることは、腕の悪い土木作業員としてかろうじて生き、あげくくたばるよりも意味がある。これは単純な比較の問題であって、英雄的な犠牲的行為ではなかった。

その軍医は、発疹チフス患者がいる収容所に勤務することを志願したわたしたちふたりの医師に、移動するまで静養棟にいられるよう、ひそかに手を回してくれた。たしかに、わたしたちはあまりに憔悴《しょうすい》していたので、そうでもしなければ医師二名が使い物にならなくなり、収容所に死体が二体増えただけだっただろう。

強制収容所の写真を見せられたとき、記憶はこうしたすべてのことを、まるで魔法のように、わたしの心の目にありありと描いて見せた。わたしがすべてを語ると、相手は、わたしがその写真をちっともひどいとは思わないことや、そこに写っている人びとがこれっぽっちも不幸だと感じていないとわたしにはよくわかるということを、理解してくれた。

すでに述べたように、価値はがらがらと音をたてて崩れた。つまり、わずかな例外を除いて、自分自身や気持ちの上でつながっている者が生きしのぐために直接関係のないことは、すべて犠牲に供されたのだ。この没価値化は、人間そのものも、また自分の人格も容赦しなかった。人格までもが、すべての価値を懐疑の奈落にたたきこむ精神の大渦巻きに引きずりこまれるのだ。人間の命や人格の尊厳などどこ吹く風という周囲の雰囲気、人間を意志などもたない、絶滅政策のたんなる対象と見なし、この最終目的に先立って肉体的労働力をとことん利用しつくす搾取政策を適用してくる周囲の雰囲気、こうした雰囲気のなかでは、ついにはみずからの自我までが無価値なものに思えてくるのだ。

強制収容所の人間は、みずから抵抗して自尊心をふるいたたせないかぎり、自分はまだ主体性をもった存在なのだということを忘れてしまう。内面の自由と独自の価値をそなえた精神的な存在であるという自覚などは論外だ。人は自分を群集のごく一部としか受けとめず、「わたし」という存在は群れの存在のレベルにまで落ちこむ。きちんと考えることも、なにかを欲することもなく、人びとはまるで羊の群れのようにあっちへやられ、こっちへやられ、集められたり散らされたりするのだ。右にも左にも、前にも後ろにも、なりは小さいが武装した、狡猾で嗜虐《しぎやく》的な犬どもが待ちうけていて、どなったり、長靴《ちょうか》のかかとで蹴りつけたり、あるいは銃床《じゅうしょう》で殴りつけたりしながら、ひっきりなしに前へ後ろへと追いまわす。わたしたちはまるで、犬に嚙みつかれないようにし、隙《すき》さえあればわずかばかりの草をむさぼることで頭はいっぱいの、欲望といえばそんなことしか思いつかない羊の群れのようだと感じていた。

そして、おびえて群れの真ん中に殺到する羊そのままに、だれもかれもが、五列横隊の真ん中になろうとし、さらにはできるだけ全中隊の中ほどにいようとした。そうすれば、中隊の横や先頭やしんがりにいる監視兵から殴られにくいからだ。さらには、中ほどにいれば風がまともに吹きつけないという利点もあった。

強制収容所に入れられた人間が集団の中に「消え」ようとするのは、周囲の雰囲気に影響されるからだけでなく、さまざまな状況で保身を計ろうとするからだ。被収容者はほどなく、意識しなくても五列横隊の真ん中に「消える」ようになるが、「群衆の中に」まぎれこむ、つまり、けっして目立たない、どんなささいなことでも親衛隊員《ＳＳ》の注意をひかないことは、必死の思いでなされることであって、これこそは収容所で身を守るための要諦《ようてい》だった。

孤独への渇望

もちろん、群集から離れることはときには必要だし、また可能でもあった。苦しみをともにする仲間と四六時中群れて、日常のこまごましたことをつねにすべて共有していると、この耐えざる強制的な集団からほんのいっときでいいから逃れたいという、あらがいがたい衝動がわきおこることは、よく知られた事実だ。ひとりになって思いにふけりたいという、心の底からの渇望、ささやかな孤独に包まれたいという渇望がわきおこるのだ。

バイエルン地方の別の収容所、言うところの病囚収容所に移されてからのことだ。わたしは、発疹チフスが猛威をふるっていたその収容所で、ようやく医師として働けるようになったのだが、そこでときおり、渇望していた孤独に、すくなくとも数分引きこもる幸福にあずかった。

発疹チフス病棟は土の床の掘っ立て小屋で、そこにおよそ五十人の、高熱にうかされ、譫妄《せんもう》状態にある仲間が重なりあうように横たわっていたが、その裏手、収容所を囲む二重の鉄条網の柵の隅に、ひっそりとした一角があった。そこには杭《くい》や木の枝で仮設テントのようなものが張られていて、この小規模収容所で「くたばった」死体が、毎日半ダースほど投げこまれた。

また、下水溝に通じる竪穴《たて》があって、木の蓋《ふた》がしてあった。

病棟での医師の仕事の手が空《す》くと、わたしはいつもそこに行って、いっとき腰をおろした。そこにうずくまり、いやおうなく視野をさえぎる鉄条網の縁飾り越しに、バイエルンの田舎の広びろとした花咲く緑の牧草地や、青くかすむ遠い丘陵をながめたものだ。そして憧《あこが》れを追い、愛する妻がいるとおぼしい北や東北の方向に思いを馳《は》せるのだが、そこには不気味なかたちの雲が認められるだけだった。

かたわらにシラミだらけの死体があることは、まるで気にならなかった。わたしを夢から引き離すのは、ときおり鉄条網に沿って巡回してくる監視兵の足音か、薬が収容所に到着したから、担当の隔離病棟への割り当てを渡すので持ち場にもどれとの、病棟からの叫び声だけだった。割り当てと言っても、五錠（一度だけは十錠だった）の代用アスピリンかカルジアゾールが、患者五十名の数日分だった。

わたしは薬を受け取り、仲間をひとりひとり回診し、脈をとり、重篤《じゅうとく》患者には薬を半錠あたえ、危篤状態の患者にはなにもあたえなかった。薬が無駄になるだけだからだ。そして、そのほかの患者にはいたわりの言葉をかけた。こうして、わたしは仲間から仲間へと、ようやくの思いで歩いていった。わたし自身、重症の発疹チフスの病みあがりだったので、極度に衰弱し、体力が低下していたのだ。そしてふたたび、いっときひとりになれるあの場所にもどり、下水溝の木蓋《きぶた》に腰をおろすのだった。

ちなみに、この下水溝は三人の仲間の命を救ったことがある。解放の直前、(たぶんダッハウへの) 大規模な移送団が編成されたのだが、そこから三人の仲間が脱走する計画をたてた。三人はこの下水溝にもぐりこみ、収容所じゅうをくまなく捜しまわる監視兵から身を隠した。その大騒ぎのあいだ、わたしは竪穴《たて》の蓋《ふた》にことのほか平静をよそおって腰かけ、鵜《う》の目鷹《たか》の目で捜しまわる監視兵のことは、つとめて無視を決めこんだ。

はじめ監視兵たちは、ここがあやしいとにらみ、蓋をあげてみようと思ったらしいが、思い直して通りすぎていった。わたしが、嘘などついていません、と言いたげなまなざしをして、他意のないしぐさでそこにおさまり、ごく自然に小石を鉄条網に投げるという、一世一代の演技をやってみせたからだ。

ひとりの監視兵は、一瞬立ち止まったものの、すぐに疑いを晴らして、警戒を解いた視線をわたしから逸《そ》らし、先を急いだ。わたしはただちに穴の中の三人に、最大の危機は去ったと教えてやることができた。

運命のたわむれ

収容所では、個々人の命の価値はとことん貶《おとし》められた。これは、その状況をみずから体験した人にしかわからないだろう。しかし、そんなことには慣れっこになった者でも、個人の存在が蔑《ないがし》ろにされていることをしたたかに思い知らされるのは、収容所から病気の被収容者が移送される時だった。

移送と決まった病気の被収容者の痩せ細った体が、二輪の荷車に無造作に積みあげられた。荷車はほかの被収容者たちによって、何キロも離れたほかの収容所まで、吹雪《ふぶき》をついて押していかれた。死んでいてもいっしょに運ばれた。リスト通りでなければならないからだ。リストが至上であって、人間は被収容者番号をもっているかぎりにおいて意味があり、文字通りただの番号なのだった。死んでいるか生きているかは問題ではない。「番号」の「命」はどうでもよかった。番号の背後にあるもの、この命の背後にあるものなど、これっぽっちも重要ではなかった。ひとりの人間の運命も、来歴も、そして名前すら。

たとえば、わたしが医師としてバイエルン地方のとある収容所から別の収容所につきそった病気の被収容者の移送団には、ひとりの若い仲間がいた。仲間は、兄弟をもといた収容所に置いていかねばならなかった。リストに入っていなかったからだ。仲間は収容所の上官にくどくどと嘆願し、上官もついに折れて、土壇場でリストからひとりを外し、代わりにこの仲間の兄弟を入れた。しかし、リストは首尾一貫していなければならない。だが、たやすいことだ。仲間の兄弟が、身代わりに収容所に残ることになった仲間と、被収容者番号も氏名も取り替えればすむ。なぜなら、すでに述べたように、収容所のわたしたちは全員、身元を証明するものをとっくに失っており、とにかく息をしている有機体のほかには、これが自分だと言えるものはなにひとつないこの状況を、だれもがありがたいと思っていたからだ。

土気色《つちけ》の皮膚をした骸骨同然の人間の身にそなわっているものと言えば、垂れ下がるボロのたぐいでしかなかったが、それすらが収容所に残る者たちの関心の的《まと》だった。靴が、あるいはコートが自分のよりまだましかどうか、移送を待つ「ムスリム」たちは、ぎらぎらとしたまなざしの吟味にさらされた。「ムスリム」たちの運命は定まったのだ。けれども、収容所に残る、まだなんとか労働に耐える者たちにとっては、生き延びるチャンスをすこしでも増やすのに役立つものはなんでも歓迎なのだ。感傷的になっている場合ではなかった……。

主体性をもった人間であるという感覚の喪失は、強制収容所の人間は徹頭徹尾、監視兵の気まぐれの対象だと身をもって知るためだけでなく、自分は運命のたわむれの対象なのだと思い知ることによってもいう起こされた。ふつう五年、あるいは十年たってはじめて、人生なにが幸いするか禍《わざわい》するかがわかるものだ――わたしはつねにそう考え、また口にしてもきた。ところが、強制収容所で学んだことは、それに訂正を迫った。禍福が十分、あるいは五分もたたないうちに判明する経験を、わたしたちはいやと言うほどしたのだ。

アウシュヴィッツにいたころ、わたしはすでにひとつの原則をたてていた。その「妥当性」はすぐに明らかになり、ほとんどの仲間がそれを採用した。つまり、なにかをたずねられたら、おおむねほんとうのことを言う。訊《き》かれないことは黙っている。いくつだ、と訊かれたら、年齢を答える。職業を問われたら、「医師です」と言う。ただし、はっきりと専門を訊いてこなければ、専門医であることは言わないのだ。

アウシュヴィッツで迎えた最初の朝、親衛隊《SS》の将校が点呼にやってきた。仲間は、四十歳以下はこっちへ、以上は向こうへ、と分けられた。さらに、金属加工工と自動車整備工が別にされた。それから、わたしたちはズボンを下ろさせられてヘルニアの有無を検査され、そこでまた数人の仲間がはねられた。

一グループは別の収容棟につれていかれ、そこでまたしても点呼のために整列させられた。

わたしもその中にいた。さらなる選別がおこなわれ、たとえばわたしは、「年齢、職業」という質問に短くきびきびと答えたのち、小さなグループに入れられた。わたしのグループはさらに別の棟につれていかれ、そこですぐさま新たなグループ分けがおこなわれた。そんなことが数回あって、しまいにわたしはとんでもない貧乏籤《くじ》を引いたと感じた。周囲は異質な、わたしにはさっぱりわからない外国語を話す人びとばかりだったのだ。

ところが、最後の選別で選抜され、わたしは最終的な居住棟に追いやられた。そこでわたしは、思いもかけないことに、旧知の仲間や同じ町の出身者や同僚に囲まれた。もとの棟にもどっていたのだ。みんなは、わたしが今まであちこち追い回されていたことに、まったく気づいていなかった。だがわたしは、ほんの短いあいだになんとさまざまな運命がかすめたことか、そのどれもが現実になってもおかしくなかったのだ、と感じていた……。

先の、「病人収容所」への患者移送団が編成されたとき、わたしの名前と番号がリストにあがっていた。医師が必要だったのだ。だが、移送団が向かう先がほんとうに病人収容所だと考えている者はいなかった。とっくに知恵をつけていたからだ。

すでに二週間前、同じような移送団が編成されたのだ。しかしすでにおおかたの人びとは、移送団は病人収容所には向かわない、これは「ガス室行き」だ、と受けとめていた。ところが不意に告知がなされた。希望すれば病人収容所行きのリストからはずされる、ただし、その者は（恐れられていた）夜間シフトに志願すること、というのだ。八十二人の仲間がただちにこれに応じた。その十五分後、移送中止が告げられた。だが、八十二名は夜間シフトのリストに組みこまれてしまったあとだった。その大半は、二週間以内に命を落とした。

遺言の暗記

そして今、二度めの病人収容所行きの移送団が編成されたのだ。当然これが、たとえ二週間だけでも病人から最後の労働力を搾《しぼ》り取るための目くらましなのか引っかけなのか、もうだれにも判断できなかった。それともガス室行きなのか、あるいはほんとうに病人収容所行きなのか。

医長はわたしの身を案じたらしい。夜の十時十五分前、わたしに耳打ちした。

「君は取り下げることができる。事務室にそう言ってある。そうするなら十時までだ」

わたしは医長に、その気はありません、と告げた。まっすぐな道を行くことを、あるいはそう言いたければ、運命のなすがままに任せることを、もうたっぷり学びましたから、と。

「病気の仲間といっしょに行きます」

わたしは医長に言った。わたしを見る医長のまなざしに、ふと同情の光がやどった。まるで暗い未来を予感しているかのような……。無言でさしのべた手も、達者で、というよりは今《こん》生《じょう》の別れを告げるかのようだった。わたしは医長のもとを去った。

わたしはゆっくりと居住棟にもどった。わたしの居場所には、仲のいい友人が暗い顔で腰を下ろしていた。

「ほんとうに行くのか?」

「ああ、行くよ」

友人の目に涙が浮かんだ。わたしは言葉をつくして慰めた。だが、なにはともあれわたしにはすることがあった。遺言の口述だ……。

「いいか、オットー、もしもわたしが家に、妻のもとにもどらなかったら、そして君がわたしの妻と再会したら……伝えてくれないか。よく聞いてくれ。まず、わたしたちは来る日も来る日も、いつも妻のことを話していたということ。な、そうだったよな? つぎに、わたしがこんなに愛したのは妻だけだということ。三番めに、夫婦でいたのは短いあいだだったが、その幸せは、今ここで味わわねばならなかったことすべてを補ってあまりあるということ……」

オットー、君は今どこにいる。まだ生きているのか。いっしょに過ごしたあの最後の時から、君にはいったいどんな運命がふりかかったのだ。奥さんとは再会できたか。そして君はまだ憶えているだろうか、あのときわたしが、子供のように泣きじゃくる君に、わたしの遺言を一語一語、無理やり暗記させたことを。

翌日、わたしは移送団とともに出発した。このたびは目くらましでも引っかけでもなかった。移送団はまた、ガス室行きでもなく、ほんとうに病人収容所に到着した。そして、わたしに同情した人びとが残った収容所では、あれから飢餓状態がさらに悪化した。わたしたちが移った先の収容所のほうがまだましだった。あとに残った人びとは、助かったと思ったのもつかのま、急転直下、破滅への道をたどったのだ。

数カ月後、すでに解放されたあとに、わたしはもとの収容所に残った仲間のひとりと再会した。この男は「収容所警官」をしていたが、収容所最後の日々、死体の山から消えて鍋の中に出現した肉片に手を出したひとりだった……わたしは、あの収容所が地獄と化し、人肉食が始まる直前に、そこを逃れたのだった。

ここでだれしも、テヘランの死神という昔話を思い出すのではないだろうか。

裕福で力あるペルシア人が、召使いをしたがえて屋敷の庭をそぞろ歩いていた。すると、ふいに召使いが泣き出した。なんでも、今しがた死神とばったり出くわして脅《おど》された、と言うのだ。召使いは、すがるようにして主人に頼んだ、いちばん足の速い馬をおあたえください、それに乗って、テヘランまで逃げていこうと思います、今日の夕方までにテヘランにたどりつきたいと存じます。主人は召使いに馬をあたえ、召使いは一瀉千里《いっしゃせんり》に駆けていった。館《やかた》に入ろうとすると、こんどは主人が死神に会った。主人は死神に言った。

「なぜわたしの召使いを驚かしたのだ、恐がらせたのだ」

すると、死神は言った。

「驚かしてなどいない。恐がらせたなどとんでもない。驚いたのはこっちだ。あの男にここで会うなんて。やつとは今夜、テヘランで会うことになっているのに」

脱走計画

自分はただ運命に弄《もてあそ》ばれる存在であり、みずから運命の主役を演じるのでなく、運命のなすがままになっているという圧倒的な感情、加えて収容所の人間を支配する深刻な感情消滅。こうしたことをふまえれば、人びとが進んでなにかをすることから逃げ、自分でなにかを決めることをひるんだのも理解できるだろう。

収容所生活では、決断を迫られることがあった。それも、予告もなくやってきて、すぐさま下さねばならない決断であって、それが生死を分けることもしばしばだった。だから、運命が決断の重圧を取り払ってくれることが、被収容者にとってもっとも望ましいということにもなったのだ。

この決断回避がもっともあらわになるのは、被収容者が数分のあいだに脱走するかしないか、判断を迫られるときだった。いつも数分が運命の分かれ目だった。決断を迫られた被収容者は、心の地獄を味わった。脱走すべきか、とどまるべきか。危険を冒すべきか、やめておくべきか。

わたしも、精神的にぎりぎりのところでこうした地獄の業火《ごうか》を体験したことがある。前線が近づくにつれて、脱走のチャンスは増えた。収容所の外にある棟で医療にたずさわっていた仲間が、脱走をくわだてた。仲間はわたしに、いっしょに逃げよう、と強く迫った。そして、被収容者ではないある患者を複数の医師の立会いのもとで診断するという口実をもうけ、わたしが専門医として同行しなければならないことにして、わたしたちはまんまと収容所をあとにした。

外では、外国の地下抵抗組織のメンバーが、制服と偽造身分証明書をくれることになっていた。ところが、土壇場になって技術的に無理だということになり、わたしたちは収容所にもどらざるをえなくなった。それでも、この機会を利用して、道みち食べるための腐りかけのじゃがいもや、そしてなによりリュックサックを手に入れられないものか、捜してみることにした。

そんなもくろみで、わたしたちは女子収容所の無人の居住棟にもぐりこんだ。そこは最近、撤収《てっしゅう》されて、そこにいた人びとは別の収容所に移され、棟は打ち捨てられたままになっていた。内部は名状しがたいほどの乱雑ぶりだった。ボロ布、藁《わら》、腐った残飯、割れた食器。なにもかもがごちゃごちゃに折り重なり、かなりの女性たちが脱走したことは一目瞭然だった。

収容所ではきわめて値打ち物とされていたまだ使えそうなスープ椀もあったが、拾わなかった。なぜなら、収容所の末期、悲惨な状況が支配するようになってからは、スープ椀はスープを入れるだけでなく、洗面器や、果ては夜間に小用を足すためにも用いられていたということを、わたしたちは知りすぎるほど知っていたからだ（用を足す目的で容器を居住棟に持ちこむことは、固く禁じられていた。この禁止は、発疹チフスで高熱を発して臥《ふ》せっており、戸外の便所に行くこともままならない者にも、ひとしなみに適用された。手を借りられればいいのだが、だれしもが衰弱しきっていて、人に手を貸すどころではなかった）。

さて、わたしが立ちはだかって目隠ししているあいだに、仲間は無人の女性用収容棟に忍びこんだ。そしてほどなく喜色満面で出てきて、どうだ、とばかりにリュックサックを見せ、上着の下に隠した。そして、中にもうひとつあった、取ってこいよ、と言った。こんどは仲間が立ちはだかり、わたしが棟に侵入した。乱雑に打ち捨てられたがらくたの山をあさると、ふたつめのリュックが見つかった。ついでに使い古した歯ブラシまで発見して、わたしは大喜びし、また驚きもしたが、そんなわたしの目に突然飛びこんだのは、大あわてで捨てていかれた物のただ中に横たわる、女性の死体だった……。

わたしは急いで受け持ちの病棟にもどり、わたしの一切合財、つまりスープ椀、この発疹チフス病棟で亡くなった患者から「遺贈された」ぼろぼろのミトン、数十枚の小さな紙切れ（すでに述べたように、わたしはアウシュヴィッツで失った学術書の草稿を速記記号で再現する作業に取りかかっていた）をリュックにつっこんだ。

そしてこれを最後に、急いで回診した。わたしは病棟の、むき出しの土の中央通路をはさんで、腐りかけた板敷きにぎゅう詰めになっている患者を、まずは右の列、そして左の列と診《み》ていった。わたしはたったひとりの、同じ町の出身者のところにやってきた。すでにほとんど匙《さじ》を投げる状態だったが、なんとしても助けたいと力をつくしてきた人だ。言うまでもなく、脱走計画は口が裂けてももらしてはならない。それでも、相手はなにかをかぎつけたらしい（たぶん、わたしがぴりぴりしていたのだろう)。力ない声でたずねた。

「やっぱり逃げるのか」

わたしは打ち消した。だが、相手のまなざしから目を逸《そ》らすのは容易ではなかった。回診が終わると、わたしはもう一度、この仲間のところへ行った。するとまたしても、絶望しきったまなざしがわたしに向けられた。なぜか非難されているような気がした。仲間と脱走することに同意し、みずから運命の主役を演じないというそれまでの原則を破って以来抱えこんだやましさという感情がふくらんだ。

わたしは突然、病棟を飛び出し、担当病棟にいた仲間のもとに急いだ。そして、わたしは行かない、と告げた。くどくどと説明するまでもなく、仲間はわたしの同行をあきらめるしかないと察した。今まで通り患者のもとに残ると決心したとたん、やましさは嘘のように消えた。

これから数日のあいだに事態はどう転ぶのか、一切は不明だった。それでも、心はかつてないほど安らかだった。一歩一歩踏みしめるように発疹チフス病棟にもどり、あの同郷人が横たわる板敷きの足元に腰をおろしてなだめ、ほかの高熱を発している患者たちにも、せめてもの気休めの言葉をかけた。

そして、わたしたちの収容所の最後の日がやってきた。前線が迫り、ほとんどすべての被収容者は大量移送でほかの収容所に送られたあとだった。収容所のお偉方もカポーも厨房係《ちゅうぼう》も逃亡した。この日わたしたちは、日没までに収容所を完全に空《から》にするよう、言い渡された。最後まで残っていた被収容者、すなわち患者も数名の医師や看護人も例外ではなかった。さらには、夜になったら収容所に火が放たれるとも告げられた。

ところが、午後になっても、患者を運ぶトラックはまだやってこない。にもかかわらず、収容所は突然、厳重に閉鎖され、鉄条網の柵には厳重な見張りがついたので、すでにほぼできあがっていた抜け穴から「金網をくぐり抜ける」ことはできなくなった。今や状況は不気味な様相を呈してきた。連中は収容所を、残った被収容者ごと炎に投げこむつもりらしい。わたしと仲間は、二度めの脱走を決意した。

わたしたちは、その日に亡くなった三体の死体を鉄条網の外に埋葬しろ、と言われた。わたしたちふたりのほかに、まだ体力のある者は収容所には残っていなかったからだ。ほとんどの者は高熱にうかされ、譫妄《せんもう》状態で、かろうじて屋根のある病棟に横たわっていた。

わたしたちは決心した。つまり、第一の死体と仲間のリュックを、棺《ひつぎ》と担架の代用品である使い古した洗濯だらいに入れて運び出し、第二の死体とともにわたしのリュックを運び出す。そして、第三の死体を運び出したら、そのまま逃亡するのだ。

第二の死体までは計画通りだった。ところが、第三の死体を運ぶ段になって、わたしは待たされるはめになった。仲間が、急いでどこかからパンをかっさらってくる、これから何日かは森の中だ、食べるものがいるだろう、と言ったのだ。わたしは待った。数分が経過した。わたしはだんだんそわそわしてきた。仲間はまだもどってこない。これから前線に向かって走るのだ。三年ぶりの自由とは、いったいどんな味がするのだろう。わたしはうっとりと心に思い描いた。なぜなら、前線に向かって走ることがどれほど危険かを知ったのは、あとになってからだったのだ。

ところが、そういうなりゆきにはならなかった。というのは、仲間がようやく走り寄ったまさにその瞬間、収容所のゲートがめいっぱいに開き、大きな赤十字の印をつけた車がアルミニウムの車体を輝かせて、ゆっくりと点呼場にすべりこんだからだ。ジュネーヴの国際赤十字代表がやってきて、収容所と残っていた被収容者を保護下に置いたのだ。こうなったら、だれが脱走など考えるだろう。薬品の入った箱が車から降ろされ、煙草が配られた。わたしたちは写真を撮られ、あちこちから歓声があがった。もう、危険を冒して戦闘中の前線めざして走っていかなくてもいいのだ。

赤十字代表は、夜間に予想されるあらゆる事態に備えて、収容所にほど近い農家を借りあげた。わたしたちは、歓喜と興奮のあまり、第三の死体のことをすっかり忘れていた。わたしたちは死体を運び出し、ふたりであらかじめ掘っておいた小さな墓穴《はかあな》に転がしこんだ。わたしたちに同行した監視兵は、てのひらを返したように態度を軟化させた。風向きが変わったと察したのだ。わたしたちにすり寄ってきた。監視兵は死者のための祈りに唱和した。短い祈りが終わると、わたしたちは三体の死体に最初の土塊《つちくれ》を投げ落とした。

死との競走のラストスパートの最後の数日、数時間の緊張と興奮の潮が引いたあと、わたしたちの口をついて出たのは、平和を希求する祈りだった。これほどに熱い言葉が人間の口から聞かれたことはなかったのではないだろうか……。

こうして、わたしたちの収容所最後の日は、自由の予感のうちに終わった。だが、もう自由だ、というのは早とちりだったのだ。払うべきつけはまだ残っていた。というのは、協定にもとづいて、収容所をこれ以上撤退する必要はない、と赤十字の代表が保証したにもかかわらず、さらには収容所近くの町に赤十字が来ているというのに、夜になって、親衛隊《SS》がトラックで乗りつけ、収容所をただちに撤退せよとの命令を伝えたのだ。最後まで残っていた被収容者は中央収容所に移されて、そこから四十八時間以内にスイスに送られ、戦争捕虜と交換されるという。トラックでやってきた男たちは、これが親衛隊員かと思うほど親切で、なんの心配もいらないからトラックに乗りなさい、すごいチャンスをものにしたもんだ、よかったな、と語りかけた。

まだ体力の残っている者は、早くも荷台に殺到し、重症患者や衰弱しきった者は足場を使って乗りこんだ。最後のトラックに乗る十三名の確認が始まったとき、仲間とわたしは、もうこうなったらおおっぴらにリュックを持って、いつでも乗れるようにしていた。医長が十三名としたのだが、わたしたちは十五名いた。医長はわたしたちを員数に入れていなかったのだ。十三人がトラックに乗せられ、あとに残されたわたしたちふたりは驚くやら、失望するやら、憤慨するやらで、この最後の車が発車するとき、医長に抗議した。医長は、あまりに疲れていてついうっかりした、と謝った。わたしたちがまだ脱走をくわだてていると誤解していたのだ、とも言った。

わたしたちは、リュックを背負ったまま、憤懣やるかたなくその場に坐りこみ、最後の数人の被収容者とともに車を待った。わたしたちはいつまでも待たされた。そこで、病棟の今やがらんとした板敷きに横になり、「神経戦」の最後の数時間、数日の緊張を解いた。天にも届かんばかりに歓喜の声をあげたかと思うと、ふたたび死ぬほどの落胆へと突き落とされた希望と失望の交錯から、完全に緊張を解いたのだ。わたしたちは「旅装を整え」、着衣のまま、靴も履《は》いたまま眠りに落ちた。

銃声と砲声、照明弾の閃光、病棟の壁も貫く弾丸の風切り音に、わたしたちは眠りを破られた。医長が駆けこんで、床に伏せろ、物陰に隠れろ、と言った。蚕棚《かいこだな》の上の段から、仲間がひとり飛びおりて、靴でわたしの腹を踏みつけた。わたしは完全に目がさめた。すぐに状況がわかってきた。ここが前線になったのだ。銃撃は次第に間遠になり、夜が明けた。外の、収容所のゲートのかたわらのポールに白旗がはためいていた。

わたしたち、この収容所に最後まで残ったほんのひと握りの者たちが、あの最後の数時間、「運命」がまたしてもわたしたちを弄《もてあそ》んだことを知ったのは、人間が下す決定など、とりわけ生死にかかわる決定など、どんなに信頼のおけないものかを知ったのは、それから数週間もたってからだった。あの夜、トラックの荷台で自由への道をひた走っていると錯覚した仲間たちのことを思うと、またしてもテヘランの死神の昔話を思い出す。と言うのは、数週間後、わたしは数枚の写真を見せられたのだが、それはわたしたちがいた収容所からそう遠くない、わたしの患者たちが移送されていった小規模収容所で撮られたものだった。患者たちはそこで棟に閉じこめられ、火を放たれたのだ。写真は半ば炭化した死体の山を示していた。

ここまで、収容所で被収容者を打ちひしぎ、ほとんどの人の内面生活を幼稚なレベルにまで突き落とし、被収容者を、意志などもたない、運命や監視兵の気まぐれの餌食《えじき》とし、ついにはみずから運命をその手でつかむこと、つまり決断をくだすことをしりごみさせるに至る、感情の消滅や鈍磨《どんま》について述べてきた。

感情の消滅には別の要因もあった。感情の消滅は、ここまで述べてきた意味における、魂の自己防衛のメカニズムから説明できるのだが、それだけでなく肉体的な要因もあった。いらだちも、感情の消滅とならぶ被収容者心理のきわだった特徴だが、これにも肉体的な要因が認められる。

肉体的な要因は数あるが、筆頭は空腹と睡眠不足だ。周知のように、ふつうの生活でも、このふたつの要因は感情の消滅やいらいらを引き起こす。収容所での睡眠不足は、居住棟が想像を絶するほど過密で、これ以上はないほど非衛生だったために発生したシラミにも原因があった。

このようにして生じた感情の消滅といらだちに、さらなる要因が加わった。すなわち、ふだんは感情の消滅といらだちを和らげてくれた市民的な麻薬、つまりニコチンとカフェインが皆無だったのだ。そうなると、感情の消滅にもいらだちにもますます拍車がかかった。

そしてさらにこうした肉体的な要因からは、被収容者独特の心理状態、ある種の「コンプレックス」が生じた。大多数の被収容者は、言うまでもなく、劣等感にさいなまれていた。それぞれが、かつては「なにほどかの者」だったし、すくなくともそう信じていた。ところが今ここでは、文字通りまるで番号でしかないかのように扱われる（より本質的な領域つまり精神性に根ざす自意識は、収容所の状況などにはびくともしなかったのは事実だが、どれだけ多くの人びとが、どれだけ多くの被収容者が、そうした確乎とした自意識をそなえていただろうか）。ごく平均的な被収容者は、そうしたことをさして深く考えることも、それほど意識することもなく、なりゆきにまかせてとことん堕落していった。

堕落は、収容所生活ならではの社会構造から生じる比較によって、まぎれもない現実となる。わたしの念頭にあるのは、あの少数派の被収容者、カポーや厨房《ちゅうぼう》係や倉庫管理人や「収容所警官」といった特権者たちだ。彼らはみな、幼稚な劣等感を埋めあわせていた。この人びとは、「大多数の」平の被収容者のようには自分が貶《おとし》められているとは、けっして受けとめていなかった。それどころか、出世したと思っていた。なかにはミニ皇帝幻想をはぐくむ者もいた。少数派のふるまいにたいし、恨みや妬《ねた》みでこりかたまった多数派は、さまざまなガス抜きという心理的反応で応じた。それは、ときには悪意のこもったジョークだったりした。たとえば、こんなジョークがある。ふたりの被収容者がおしゃべりをしていて、話題がある男におよんだ。男はまさに例の「出世組」だった。ひとりが言うには、「おれは知ってるぞ、あいつは……市でいちばん大きな銀行のただの頭取だったんだ。なのにここではカポー風吹かしやがって」

収容所生活には、食事の配り方に始まって、下《げ》の下《げ》に落とされた多数派と出世した少数派のいざこざの種はいくらでも転がっていたが、いらいらが爆発し、頂点にたっするのも、決まってそんなときだった。先に挙げたさまざまな肉体的要因から引き起こされたいらだちは、当事者全員の恨みつらみの感情という心理的要因が加わることによって、いやがうえにも高まった。

このようにして高まった興奮が被収容者同士の乱闘騒ぎに終わっても、別段驚くにはあたらない。怒りの感情を殴打《おうだ》というかたちで解放するという反応は、打擲《ちょうちゃく》が日常茶飯と化し、その光景をいやというほど見せつけられていたことによって、いわば道をつけられていたのだ。

空腹で徹夜をした者が憤怒《ふんぬ》の発作に襲われると、「手がぶるぶる震え」、「体ごとぶつかっていきたい」衝動に駆られるのだが、わたしも何度となくそんな経験を余儀なくされた。一時期、わたしたち医師は徹夜をした。発疹チフス病棟にあてられたむき出しの土の床の棟では、暖をとるために火を焚くことができたのだが、おかげで夜中にストーブの火が消えないよう、だれかが見張らなければならなかったのだ。そこで、まだ少しでも体力のある者には、ストーブ番という夜勤が回ってきた。真夜中、ほかの者たちは眠っているか、熱に浮かされているかするなかで、病棟の小さなストーブのそばの地べたに寝転がり、自分の「勤務」時間のあいだ、炎を見守っている。そして、どこかからくすねてきた煉炭の熱で、やはりくすねてきたじゃがいもをあぶる……それは、実際はどれほど悲惨だろうと、収容所で経験したもっとものんびりしたうるわしいひとときだった。

ところが、徹夜し、疲労がたまると、つぎの日は感情の消滅といらいらがいっそうつのるのだ。解放間近のころ、わたしは発疹チフス病棟に医師として配属されていたわけだが、そのほかにも、病棟の班長の役もこなさなければならなかった。それで、あんな状況では清潔もなにもあったものではなかったのだが、収容所当局にたいして、病棟を清潔に保つ責任を負っていた。病棟に目配りを怠らないためと称してしょっちゅう点検するのは、衛生のためというよりたんなるいやがらせでしかなかった。もっと食料をあたえるか、あるいはもう少し医薬品があったほうが、どれほどかましだったのに、中央通路に藁《わら》が一本も落ちていないことや、患者のぼろぼろで汚れきった、シラミだらけの毛布が、その足もとできれいに一直線になっていることばかりが問題視された。点検が告げられると、わたしは、収容所長や上官が身をかがめてわたしたちの病棟の入り口から内部を一瞥《いちべつ》したとき、藁一本落ちていないように、あるいはストーブの前に灰がほんのひとつまみも落ちていないように、といったことに心をすり減らさなければならなかった。

しかし、点検する者にとってこの穴蔵にいる人間の運命は、わたしが被収容者の制帽を坊主頭からむしり取り、かかとを音立てて合わせ、直立不動できびきびと、「六の九号病棟、発疹チフス患者五十二名、看護人二名、医師一名」と「報告する」だけで充分だった。点検にやってきた連中は風のように去った。

だが、来るまでは長かった。点検が告げられてから数時間後のこともざらだった（あるいは、まるで来ないこともあった）。その間わたしは絶え間なく毛布を直したり、寝床から落ちた藁を拾ったりしなければならなかった。さらには、見せかけにすぎない秩序や清潔を、土壇場になって「台無しにする」おそれのある患者たちを、どなって回らなければならなかった。なぜなら、感情の消滅や鈍麻《どんま》は高熱を発している者ほどはなはだしく、大声でどならなければ反応しなかったからだ。だが、それでも効かないこともしょっちゅうだった。するとわたしは、手を上げないよう、全身の力をふりしぼるのだった。なぜなら、わたしのいらだちは、ほかの者の感情の消滅にぶつかり、またそれにより今にも回ってくる点検の際にひきおこされる危険が目の前にちらついて、際限なく高まっていたからだ。

精神の自由

長らく収容所に入れられている人間の典型的な特徴を心理学の観点から記述し、精神病理学の立場で解明しようとするこの試みは、人間の魂は結局、環境によっていやおうなく規定される、たとえば強制収容所の心理学なら、収容所生活が特異な社会環境として人間の行動を強制的な型にはめる、との印象をあたえるかもしれない。

しかし、これには異議がありうる。反問もありうる。では、人間の自由はどこにあるのだ、あたえられた環境条件にたいしてどうふるまうかという、精神の自由はないのか、と。人間は、生物学的、心理学的、社会学的と、なんであれさまざまな制約や条件の産物でしかないというのはほんとうか、すなわち、人間は体質や性質や社会的状況がおりなす偶然の産物以外のなにものでもないのか、と。そしてとりわけ、人間の精神が収容所という特異な社会環境に反応するとき、ほんとうにこの強いられたあり方の影響をまぬがれることはできないのか、このような影響には屈するしかないのか、収容所を支配していた生存「状況では、ほかにどうしようもなかったのか」と。

こうした疑問にたいしては、経験をふまえ、また理論にてらして答える用意がある。経験からすると、収容所生活そのものが、人間には「ほかのありようがあった」ことを示している。その例ならいくらでもある。感情の消滅を克服し、あるいは感情の暴走を抑えていた人や、最後に残された精神の自由、つまり周囲はどうあれ「わたし」を見失わなかった英雄的な人の例はぽつぽつと見受けられた。一見どうにもならない極限状態でも、やはりそういったことはあったのだ。

強制収容所にいたことのある者なら、点呼場や居住棟のあいだで、通りすがりに思いやりのある言葉をかけ、なけなしのパンを譲っていた人びとについて、いくらでも語れるのではないだろうか。そんな人は、たとえほんのひと握りだったにせよ、人は強制収容所に人間をぶちこんですべてを奪うことができるが、たったひとつ、あたえられた環境でいかにふるまうかという、人間としての最後の自由だけは奪えない、実際にそのような例はあったということを証明するには充分だ。

収容所の日々、いや時々刻々は、内心の決断を迫る状況また状況の連続だった。人間の独自性、つまり精神の自由などいつでも奪えるのだと威嚇し、自由も尊厳も放棄して外的な条件に弄《もてあそ》ばれるたんなるモノとなりはて、「典型的な」被収容者へと焼き直されたほうが身のためだと誘惑する環境の力の前にひざまずいて堕落に甘んじるか、あるいは拒否するか、という決断だ。

この究極の観点に立てば、たとえカロリーの乏しい食事や睡眠不足、さらにはさまざまな精神的「コンプレックス」をひきあいにして、あの堕落は典型的な収容所心理だったと正当化できるとしても、それでもなお、いくら強制収容所の被収容者の精神的な反応といっても、やはり一定の身体的、精神的、社会的条件をあたえればおのずとあらわれるもの以上のなにかだったとしないわけにはいかないのだ。そこからは、人間の内面にいったいなにが起こったのか、収容所はその人間のどんな本性をあらわにしたかが、内心の決断の結果としてまざまざと見えてくる。つまり人間はひとりひとり、このような状況にあってもなお、収容所に入れられた自分がどのような精神的存在になるかについて、なんらかの決断を下せるのだ。典型的な「被収容者」になるか、あるいは収容所にいてもなお人間として踏みとどまり、おのれの尊厳を守る人間になるかは、自分自身が決めることなのだ。

かつてドストエフスキーはこう言った。

「わたしが恐れるのはただひとつ、わたしがわたしの苦悩に値しない人間になることだ」

この究極の、そしてけっして失われることのない人間の内なる自由を、収容所における ふるまいや苦しみや死によって証していたあの殉教者のような人びとを知った者は、ドストエフスキーのこの言葉を繰り返し嚙みしめることだろう。その人びとは、わたしはわたしの「苦悩に値する」人間だ、と言うことができただろう。彼らは、まっとうに苦しむことは、それだけでもう精神的になにごとかをなしとげることだ、ということを証していた。最期の瞬間までだれも奪うことのできない人間の精神的自由は、彼が最期の息をひきとるまで、その生を意味深いものにした。なぜなら、仕事に真価を発揮できる行動的な生や、安逸な生や、美や芸術や自然をたっぷりと味わう機会に恵まれた生だけに意味があるのではないからだ。そうではなく、強制収容所での生のような、仕事に真価を発揮する機会も、体験に値すべきことを体験する機会も皆無の生にも、意味はあるのだ。

そこに唯一残された、生きることを意味あるものにする可能性は、自分のありようががんじがらめに制限されるなかでどのような覚悟をするかという、まさにその一点にかかっていた。

被収容者は、行動的な生からも安逸な生からもとっくに締め出されていた。しかし、行動的に生きることや安逸に生きることだけに意味があるのではない。そうではない。およそ生きることそのものに意味があるとすれば、苦しむことにも意味があるはずだ。苦しむこともまた生きることの一部なら、運命も死ぬことも生きることの一部なのだろう。苦悩と、そして死があってこそ、人間という存在ははじめて完全なものになるのだ。

おおかたの被収容者の心を悩ませていたのは、収容所を生きしのぐことができるか、という問いだった。生きしのげられないのなら、この苦しみのすべてには意味がない、というわけだ。しかし、わたしの心をさいなんでいたのは、これとは逆の問いだった。すなわち、わたしたちを取り巻くこのすべての苦しみや死には意味があるのか、という問いだ。もしも無意味だとしたら、収容所を生きしのぐことに意味などない。抜け出せるかどうかに意味がある生など、その意味は偶然の僥倖《ぎょうこう》に左右されるわけで、そんな生はもともと生きるに値しないのだから。

運命——賜物《たまもの》

ひとりの人間が避けられない運命と、それが引き起こすあらゆる苦しみを甘受する流儀には、きわめてきびしい状況でも、また人生最期の瞬間においても、生を意味深いものにする可能性が豊かに開かれている。勇敢で、プライドを保ち、無私の精神をもちつづけたか、あるいは熾《し》烈《れつ》をきわめた保身のための戦いのなかに人間性を忘れ、あの被収容者の心理を地で行く群れの一匹となりはてたか、苦渋にみちた状況ときびしい運命がもたらした、おのれの真価を発揮する機会を生かしたか、あるいは生かさなかったか。そして「苦悩に値」したか、しなかったか。

このような問いかけを、人生の実相からはほど遠いとか、浮世離れしているとか考えないでほしい。たしかに、このような高みにたっすることができたのは、ごく少数のかぎられた人びとだった。収容所にあっても完全な内なる自由を表明し、苦悩があってこそ可能な価値の実現へと飛躍できたのは、ほんのわずかな人びとだけだったかもしれない。けれども、それがたったひとりだったとしても、人間の内面は外的な運命より強靭《きようじん》なのだということを証明してあまりある。

それはなにも強制収容所にはかぎらない。人間はどこにいても運命と対峙させられ、ただもう苦しいという状況から精神的になにかをなしとげるかどうか、という決断を迫られるのだ。病人の運命を考えてみるだけでいい。とりわけ、不治の病の病人の運命を。わたしはかつて、若い患者の手紙を読んだことがある。彼は友人に宛てて、自分はもう長くはないこと、手術はもう手遅れであることを知った、と書いていた。こうなった今、思い出すのはある映画のことだ、と手紙は続いていた。それは、ひとりの男が勇敢に、プライドをもって死を覚悟する、というものだった。観たときは、この男がこれほど毅然《きぜん》と死に向き合えるのは、そういう機会を「天の賜物《たまもの》」としてあたえられたからだと思ったが、いま運命は自分にその好機をあたえてくれた、と患者は書いていた。

またかなり以前、トルストイ原作の『復活』という映画があったが、わたしたちはこれを観て、同じような感慨をもたなかっただろうか。じつに偉大な運命だ、じつに偉大な人間たちだ。だが、わたしたちのようなとるに足りない者に、こんな偉大な運命は巡ってこない、だからこんな偉大な人間になれる好機も訪れない……。そして映画が終わると、近くの自販機スタンドに行き、サンドイッチとコーヒーをとって、今しがた束の間意識をよぎったあやしげな形而上的想念を忘れたのだ。ところが、いざ偉大な運命の前に立たされ、決断を迫られ、内面の力だけで運命に立ち向かわされると、かつてたわむれに思い描いたことなどすっかり忘れて、諦めてしまう……。なかには、ふたたび映画館で似たり寄ったりの映画を目の当たりにする日を迎える人もいるだろう。そのとき、彼の中では記憶のフィルムが回りはじめ、その心の目は、感傷をこととする映画製作者が描きうるよりもはるかに偉大なことをその人生でなしとげた人びとの記憶を追うことだろう。

たとえば、強制収容所で亡くなった若い女性のこんな物語を。これは、わたし自身が経験した物語だ。単純でごく短いのに、完成した詩のような趣きがあり、わたしは心をゆさぶられずにはいられない。

この若い女性は、自分が数日のうちに死ぬことを悟っていた。なのに、じつに晴れやかだった。

「運命に感謝しています。だって、わたしをこんなにひどい目にあわせてくれたんですもの」

彼女はこのとおりにわたしに言った。

「以前、なに不自由なく暮らしていたとき、わたしはすっかり甘やかされて、精神がどうこうなんて、まじめに考えたことがありませんでした」

その彼女が、最期の数日、内面性をどんどん深めていったのだ。

「あの木が、ひとりぼっちのわたしの、たったひとりのお友だちなんです」

彼女はそう言って、病棟の窓を指さした。外ではマロニエの木が、いままさに花の盛りを迎えていた。板敷きの病床の高さにかがむと、病棟の小さな窓からは、花房をふたつつけた緑の枝が見えた。

「あの木とよくおしゃべりをするんです」

わたしは当惑した。彼女の言葉をどう解釈したらいいのか、わからなかった。譫妄《せんもう》状態で、ときどき幻覚におちいるのだろうか。それでわたしは、木もなにかいうんですか、とたずねた。そうだという。ではなんと？　それにたいして、彼女はこう答えたのだ。

「木はこういうんです。わたしはここにいるよ、わたしは、ここに、いるよ、わたしは命、永遠の命だって……」

暫定的存在を分析する

強制収容所の人間の内面生活がいびつに歪むのは、つきつめればさまざまな心理的身体的なことが要因となってそうなるのではなく、最終的には個々人の自由な決断いかんにかかっていた、と述べたが、これはもっとくわしく説明すべきだろう。

被収容者を心理学の立場から観察してまず明らかになるのは、あらかじめ精神的にまた人間的に脆弱《ぜいじやく》な者が、その性格を展開していくなかで収容所世界の影響に染まっていく、という事実だった。脆弱な人間とは、内的なよりどころをもたない人間だ。では、内的なよりどころはどこに求められるのだろう、というのが、つぎの問いだ。

元被収容者についての報告や体験記はどれも、被収容者の心にもっとも重くのしかかっていたのは、どれほど長く強制収容所に入っていなければならないのかまるでわからないことだった、としている。被収容者は解放までの期限をまったく知らなかった。もしも解放までの期限などということが問題にされたとしたらだが（たとえばわたしがいた収容所では話題にのぼったことがなかった）、それは未定で、実際、無期限であっただけでなく、どこまでも無制限に引き延ばされるたぐいのものだった。ある著名な心理学者がなにかの折りにこのことにふれて、強制収容所におけるありようを「暫定的存在」と呼んだが、この定義を補いたいと思う。つまり、強制収容所における被収容者は「無期限の暫定的存在」と定義される、と。

新たに送りこまれた人びとは、収容所についたとき、そこを支配している状況をなにひとつ理解していなかった。そこから出てきた者たちは沈黙せざるをえなかったし、ある収容所にいたっては、まだだれももどってきた者はいなかった……。収容所に一歩足を踏み入れると、心内風景は一変する。不確定性が終わり、終わりが不確定になる。こんなありように終わりはあるのか、あるとしたらそれはいつか、見極めがつかなくなるのだ。

ラテン語の「フィニス（finis）」には、よく知られているように、ふたつの意味がある。終わり、そして目的だ。（暫定的な）ありようがいつ終わるか見通しのつかない人間は、目的をもって生きることができない。ふつうのありようの人間のように、未来を見すえて存在することができないのだ。そのため、内面生活はその構造からがらりと様変わりしてしまう。精神の崩壊現象が始まるのだ。これは、別の人生の諸相においてもすでにおなじみで、似たような心理的状況は、たとえば失業などでも起こりうる。失業者の場合もありようが暫定的になり、ある意味、未来や未来の目的を見すえて生きることができなくなるからだ。かつて、失業した鉱山労働者を心理学の立場から集団検診した結果、このゆがんだありようが時間感覚におよぼす影響をさらにくわしく調査しなければ、ということになったことがある。心理学では、この時間感覚を、「内的時間」あるいは「経験的時間」と呼ぶ。

収容所の話に戻ろう。そこでは、たとえば一日のようなわりと小さな時間単位が、まさに無限に続くかと思われる。しかも一日は、権力をかさにきたいやがらせにびっしりと埋めつくされているのだ。ところがもう少し大きな時間単位、たとえば週となると、判で捺《お》したような日々の連続なのに、薄気味悪いほどすみやかに過ぎ去るように感じられた。わたしが、収容所の一日は一週間より長い、というと、収容所仲間は一様にうなずいてくれたものだ。ことほどさように、収容所での不気味な時間感覚は矛盾に満ちたものだった。

ここから連想されるのは、トーマス・マンの『魔の山』に記された、心理学的に見ても正鵠《せいこく》を射た観察だ。この小説は、心理学的に収容所と似通った状況に立たされた人間、すなわち退院の期日もわからない、「未来を失った」、未来の目的に向けられていない存在として便々と過ごす結核療養所の患者の精神的な変化を描いたものである。療養所の患者は、まさにここで話している強制収容所の被収容者そのものだ。

ある被収容者が、かつて、新たに到着した被収容者の長い列にまじって駅から強制収容所へと歩いていたとき、まるで「自分の屍《しかばね》のあとから歩いている」ような気がした、とのちに語ったことがある。この人は、絶対的な未来喪失を骨身《ほねみ》に染みて味わったのだ。それは、あたかも死者が人生を過去のものと見るように、その人の人生のすべてが過去のものになったとの見方を強いるのだ。

「生きる屍」になったという実感は、さらなるほかの要因によっていっそう強まった。この拘束は無期限らしいとの感触が徐々に強まると、空間的な制限、すなわち拘禁ということもまたひしひしと感じられてくる。鉄条網の外にあるものは、とたんに近づきえないもの、手の届かないものとなり、ついにはどこか非現実なものとなる。収容所の外の出来事も人間もふつうの生活も、収容所にいる者には、なにもかもがどこか幽霊じみた、非現実なものに思えてくる。

ちらとでも外を垣間見ることができたときには、外の生活は被収容者の目に、まるで死者が「彼岸」から此岸をながめおろしているかのように映る。それで、被収容者は目の前に広がるふつうの世界にたいして、時がたつにつれ、まるでこの「世界はもうない」かのような感覚をもたざるをえないのだ。

人間として破綻した人の強制収容所における内面生活は、追憶をことさらとするようになる。未来の目的によりどころをもたないからだ。過去へとさかのぼる退嬰《たいえい》的な傾向については、すでに別の文脈でふれた。これには、おぞましい現在に高《たか》をくくれるという効果がある。しかし現在、つまり現前する現実に高をくくることには、危険な一面がある。多くの英雄的な人びとの例が示しているように、収容所生活においても現実に真正面から向き合うきっかけはあったのに、それを見失ってしまうのだ。

現実をまるごと無価値なものに貶《おとし》めることは、被収容者の暫定的なありようにはしっくりくるとはいえ、ついには節操を失い、堕落することにつながった。なにしろ「目的なんてない」からだ。このような人間は、過酷きわまる外的条件が人間の内的成長をうながすことがある、ということを忘れている。収容所生活の外面的困難を内面にとっての試練とする代わりに、目下の自分のありようを真摯に受けとめず、これは非本来的ななにかなのだと高をくくり、こういうことの前では過去の生活にしがみついて心を閉ざしていたほうが得策だと考えるのだ。このような人間に成長は望めない。被収容者として過ごす時間がもたらす苛酷さのもとで高いレベルへと飛躍することはないのだ。その可能性は、原則としてあった。もちろん、そんなことができるのは、ごくかぎられた人びとだった。しかし彼らは、外面的には破綻し、死すらも避けられない状況にあってなお、人間としての崇高さにたっしたのだ。ごくふつうのありようをしていた以前なら、彼らにしても可能ではなかったかもしれない崇高さに。しかしそのほかの者たち、並みの人間であるわたしたち、凡庸なわたしたちには、ビスマルクのこんな警告があてはまった。

「人生は歯医者の椅子に坐っているようなものだ。さあこれからが本番だ、と思っているうちに終わってしまう」

これは、こう言い替えられるだろう。

「強制収容所ではたいていの人が、今に見ていろ、わたしの真価を発揮できるときがくる、と信じていた」

けれども現実には、人間の真価は収容所生活でこそ発揮されたのだ。おびただしい被収容者のように無気力にその日その日をやり過ごしたか、あるいは、ごく少数の人びとのように内面的な勝利をかちえたか、ということに。

教育者スピノザ

したがって、収容所生活が被収容者にもたらす精神病理学的症状に心理療法や精神衛生の立場から対処するには、強制収容所にいる人間に、そこが強制収容所であってもなお、なんとか未来に、未来の目的にふたたび目を向けさせることに意を用い、精神的に励ますことが有力な手立てとなる。被収容者の中には、本能的にそうした者たちもいた。その人たちは、おおむねよりどころとなるものをもっていた。そこにはたいてい、未来のなにがしかがかかわっていた。人は未来を見すえてはじめて、いうなれば永遠の相のもとに《スプ・スペシエ・アエテルニタティス》のみ存在しうる。これは人間ならではのことだ。したがって、存在が困難を極める現在にあって、人は何度となく未来を見すえることに逃げこんだ。これがトリックというかたちをとることも多かった。

わが身にてらせば、こんなことがあった。ぼろ靴につっこんだ傷だらけの足の痛みに泣かんばかりになりながら、わたしは極寒のなか、氷のような向かい風をついて、長い行列を作って収容所から作業現場までの数キロの道のりをよろめき歩いていた。わたしの心はこの惨《みじ》めな収容所生活にまつわる些細な懸念を、絶えずくよくよとなぞっていた。今日の夕食はなんだろうか。今日の「おまけ」はたぶんソーセージひと切れだろう。これは、パンと交換したほうがいいだろうか。二週間前に「褒状《ほうじょう》」とひきかえにもらった煙草は、最後の一本が残っているが、あれはスープ一杯と取り替えたほうが得策だろうか。どうやって針金を見つけよう、靴紐《ひも》の代わりにしていたやつが切れてしまった。今から行く現場では、勝手のわかった作業グループに入れるだろうか、それとも他のグループに編入されて、怒りっぽい、人をいたぶることをなんとも思っていない監督のもとで殴られるのだろうか。あるいは、あのカポーに取り入るにはどうしたものか。彼となかよくなれば、まあ、ありそうもない僥倖《ぎょうこう》だが、収容所労働者として収容所内に配属され、もうこんなぞっとする行進を毎日しなくてもすむのだが。

来る日も来る日も、そして時々刻々、思考のすべてを挙げてこんな問いにさいなまれねばならないというむごたらしい重圧に、わたしはとっくに反吐が出そうになっていた。そこで、わたしはトリックを弄した。突然、わたしは皓々《こうこう》と明かりがともり、暖房のきいた豪華な大ホールの演台に立っていた。わたしの前には坐り心地のいいシートにおさまって、熱心に耳を傾ける聴衆。そして、わたしは語るのだ。講演のテーマは、なんと、強制収容所の心理学。今わたしをこれほど苦しめうちひしいでいるすべては客観化され、学問という一段高いところから観察され、描写される……このトリックのおかげで、わたしはこの状況に、現在とその苦しみにどこか超然としていられ、それらをまるでもう過去のもののように見なすことができ、わたしをわたしの苦しみともども、わたし自身がおこなう興味深い心理学研究の対象とすることができたのだ。

スピノザは『エチカ』のなかでこう言っていなかっただろうか。

「苦悩という情動は、それについて明晰判明に表象したとたん、苦悩であることをやめる」

(『エチカ』第五部「知性の能力あるいは人間の自由について」定理三)

しかし未来を、自分の未来をもはや信じることができなかった者は、収容所内で破綻した。そういう人は未来とともに精神的なよりどころを失い、精神的に自分を見捨て、身体的にも精神的にも破綻していったのだ。通常、こうしたことはなんの前触れもなく「発症」した。そのあらわれ方を、わりと古株の被収容者はよく知っていた。わたしたちはみな、発症の最初の徴候を恐れた。それも、自分自身よりも、仲間にあらわれるのを恐れた。なぜなら、もしも自分にそれがあらわれたら、もう恐れる理由もなくなるからだ。

ふつう、それはこのように始まった。ある日、居住棟で、被収容者が横たわったまま動こうとしなくなる。着替えることも、洗面に行くことも、点呼場に出ることもしない。どう働きかけても効果はない。彼はもうなにも恐れない。頼んでも、脅《おど》しても、叩いても、すべては徒労だ。ただもう横たわったきり、ぴくりとも動かない。この「発症」を引き起こしたのがなんらかの病気である場合は、彼は診察棟につれて行かれることや処置されることを拒否する。彼は自分を放棄したのだ。みずからの糞尿にまみれて横たわったまま、もうなにもその心をわずらわすことはない。

一方の死に至る自己放棄と破綻、そしてもう一方の未来の喪失が、どれほど本質的につながっているかを劇的に示す事件が、わたしの目の前で起こった。わたしがいた棟の班長は外国人で、かつては著名な作曲家兼台本作家だったが、ある日わたしにこんなことを打ち明けた。

「先生、話があるんです。最近、おかしな夢をみましてね。声がして、こう言うんですよ。なんでも願いがあれば願いなさい、知りたいことがあるなら、なんでも答えるって。わたしがなんとたずねたと思います？　わたしにとって戦いはいつ終わるか知りたい、と言ったんです。先生、『わたしにとって』というのはどういう意味かわかりますか。つまり、わたしが知りたかったのは、いつ収容所を解放されるか、つまりこの苦しみはいつ終わるかってことなんです」

わたしは、いつその夢をみたんですか、とたずねた。

「一九四五年二月」と、彼は答えた（そのときは三月の初めだった）。

それで、夢の中の声はなんて言ったんですか、とわたしはたたみかけた。相手は意味ありげにささやいた。

「三月三十日……」

このFという名の仲間は、わたしに夢の話をしたとき、まだ充分に希望をもち、夢が正夢だと信じていた。ところが、夢のお告げの日が近づくのに、収容所に入ってくる軍事情報によると、戦況が三月中にわたしたちを解放する見込みはどんどん薄れていった。すると、三月二九日、Fは突然高熱を発して倒れた。そして三月三十日、戦いと苦しみが「彼にとって」終わるであろうとお告げが言った日に、Fは重篤《じゅうとく》な譫妄《せんもう》状態におちいり、意識を失った……三月三一日、Fは死んだ。死因は発疹チフスだった。

勇気と希望、あるいはその喪失といった情調と、肉体の免疫性の状態のあいだに、どのような関係がひそんでいるのかを知る者は、希望と勇気を一瞬にして失うことがどれほど致命的かということも熟知している。仲間Fは、待ちに待った解放の時が訪れなかったことにひどく落胆し、すでに潜伏していた発疹チフスにたいする抵抗力が急速に低下したあげくに命を落としたのだ。未来を信じる気持ちや未来に向けられた意志は萎《な》え、そのため、身体は病に屈した。

そして結局、夢のお告げどおりになったのだ……。

この一例の観察とそこから引き出される結論は、わたしたちの強制収容所の医長が折りに触れて言っていたことと符合する。医長によると、この収容所は一九四四年のクリスマスと一九四五年の新年のあいだの週に、かってないほど大量の死者を出したのだ。これは、医長の見解によると、過酷さを増した労働条件からも、悪化した食糧事情からも、季候の変化からも、あるいは新たにひろまった伝染性の疾患からも説明がつかない。むしろこの大量死の原因は、多くの被収容者が、クリスマスには家に帰れるという、ありきたりの素朴な希望にすがっていたことに求められる、というのだ。クリスマスの季節が近づいても、収容所の新聞はいっこうに元気の出るような記事を載せないので、被収容者たちは一般的な落胆と失望にうちひしがれたのであり、それが抵抗力におよぼす危険な作用が、この時期の大量死となってあらわれたのだ。

すでに述べたように、強制収容所の人間を精神的に奮い立たせるには、まず未来に目的をもたせなければならなかった。被収容者を対象とした心理療法や精神衛生の治療の試みがしたがうべきは、ニーチェの的《まと》を射た格言だろう。

「なぜ生きるかを知っている者は、どのように生きることにも耐える」

したがって被収容者には、彼らが生きる「なぜ」を、生きる目的を、ことあるごとに意識させ、現在のありようの悲惨な「どのように」に、つまり収容所生活のおぞましさに精神的に耐え、抵抗できるようにしてやらねばならない。

ひるがえって、生きる目的を見出せず、生きる内実を失い、生きていてもなにもならないと考え、自分が存在することの意味をなくすとともに、がんばり抜く意味も見失った人は痛ましいかぎりだった。そのような人びとはよりどころを一切失って、あっというまに崩れていった。あらゆる励ましを拒み、慰めを拒絶するとき、彼らが口にするのはきまってこんな言葉だ。

「生きていることにもうなんにも期待がもてない」

こんな言葉にたいして、いったいどう応えたらいいのだろう。

生きる意味を問う

ここで必要なのは、生きる意味についての問いを百八十度方向転換することだ。わたしたちが生きることからなにを期待するかではなく、むしろひたすら、生きることがわたしたちからなにを期待しているかが問題なのだ、ということを学び、絶望している人間に伝えねばならない。哲学用語を使えば、コペルニクス的転回が必要なのであり、もういいかげん、生きることの意味を問うことをやめ、わたしたち自身が問いの前に立っていることを思い知るべきなのだ。生きることは日々、そして時々刻々、問いかけてくる。わたしたちはその問いに答えを迫られている。考えこんだり言辞を弄《ろう》することによってではなく、ひとえに行動によって、適切な態度によって、正しい答えは出される。生きるとはつまり、生きることの問いに正しく答える義務、生きることが各人に課す課題を果たす義務、時々刻々の要請を充たす義務を引き受けることにほかならない。

この要請と存在することの意味は、人により、また瞬間ごとに変化する。したがって、生きる意味を一般論で語ることはできないし、この意味への問いに一般論で答えることもできない。ここにいう生きることとはけっして漠然としたなにかではなく、つねに具体的ななにかであって、したがって生きることがわたしたちに向けてくる要請も、とことん具体的である。この具体性が、ひとりひとりにたったの一度、他に類を見ない人それぞれの運命をもたらすのだ。だれも、そしてどんな運命も比類ない。どんな状況も二度と繰り返されない。そしてそれぞれの状況ごとに、人間は異なる対応を迫られる。具体的な状況は、あるときは運命をみずから進んで切り拓くことを求め、あるときは人生を味わいながら真価を発揮する機会をあたえ、またあるときは淡々と運命に甘んじることを求める。だがすべての状況はたったの一度、ふたつとないしかたで現象するのであり、そのたびに問いにたいするたったひとつの、ふたつとない正しい「答え」だけを受け入れる。そしてその答えは、具体的な状況にすでに用意されているのだ。

具体的な運命が人間を苦しめるなら、人はこの苦しみを責務と、たった一度だけ課される責務としなければならないだろう。人間は苦しみと向きあい、この苦しみに満ちた運命とともに全宇宙にたった一度、そしてふたつとないあり方で存在しているのだという意識にまで到達しなければならない。だれもその人から苦しみを取り除くことはできない。だれもその人の身代りになって苦しみをとことん苦しむことはできない。この運命を引き当てたその人自身がこの苦しみを引きうけることに、ふたつとないなにかをなしとげるたった一度の可能性はあるのだ。

強制収容所にいたわたしたちにとって、こうしたすべてはけっして現実離れした思弁ではなかった。わたしたちにとってこのように考えることは、たったひとつ残された頼みの綱だった。それは、生き延びる見込みなど皆無のときにわたしたちを絶望から踏みとどまらせる、唯一の考えだったのだ。わたしたちは生きる意味というような素朴な問題からすでに遠く、なにか創造的なことをしてなんらかの目的を実現させようなどとは一切考えていなかった。わたしたちにとって生きる意味とは、死もまた含む全体としての生きることの意味であって、「生きること」の意味だけに限定されない、苦しむことと死ぬことの意味にも裏づけされた、総体的な生きることの意味だった。この意味を求めて、わたしたちはもがいていた。

苦しむことはなにかをなしとげること

苦しむことの意味が明らかになると、わたしたちは収容所生活に横溢《おういつ》していた苦しみを、「抑圧」したり、安手のぎこちない楽観によってごまかすことで軽視し、高《たか》をくくることを拒否した。わたしたちにとっては、苦しむことですら課題だったのであって、その意味深さにもはや目を閉じようとは思わなかった。わたしたちにとって、苦しむことはなにかをなしとげるという性格を帯びていた。詩人のリルケを衝き動かし、「どれだけ苦しみ尽くさねばならないのか！」と叫ばせた、あの苦しむことの性格を帯びていたのだ。リルケは、「やり尽くす」というように、「苦しみ尽くす」と言っている……。

わたしたちにとって、「どれだけでも苦しみ尽くさねばならない」ことはあった。ものごとを、つまり横溢する苦しみを直視することは避けられなかった。気持ちが萎《な》え、ときには涙することもあった。だが、涙を恥じることはない。この涙は、苦しむ勇気をもっていることの証《あかし》だからだ。しかし、このことをわかっている人はごく少なく、号泣したことがあると折りにふれて告白するとき、人は決まってばつが悪そうなのだ。
たとえば、あるときわたしがひとりの仲間に、なぜあなたの飢餓浮腫《ふしゅ》は消えたのでしょうね、とたずねると、仲間はおどけて打ち明けた。
「そのことで涙が涸れるほど泣いたからですよ……」

なにかが待つ

強制収容所での心理療法や精神衛生のための試みは、その機会さえあれば個人を対象にしても、またグループを対象にしてもおこなうことができた。個人にたいする精神的ケアは、命を救うための緊急「処置」としてなされることもあった。とくに自殺を思いとどまらせるときだ。自殺を図った者を救うことはきびしく禁止されていた。仲間が首を吊ったところを発見しても、綱を「切る」ことは規則で禁止されていたのだ。したがって、あらかじめそうさせない努力が重要だったことは言うまでもない。

ここまでに述べてきたことが実際に役立ったふたつの例を思い出す。それればかりか、二例は驚くほど似通ってもいる。このふたりの男たちは、ときおり自殺願望を口にするようになっていた。「生きていることにもうなんにも期待がもてない」と、前に挙げた典型的ないい方をしたのだ。しかしこのふたりには、生きることは彼らからなにかを期待している、生きていれば、未来に彼らを待っているなにかがある、ということを伝えることに成功した。事実ひとりには、外国で父親の帰りを待つ、目に入れても痛くないほど愛している子供がいた。もうひとりを待っていたのは、人ではなく仕事だった。彼は研究者で、あるテーマの本を数巻上梓していたが、まだ完結していなかった。この仕事が彼を待ちわびていたのだ。彼はこの仕事にとって余人に代えがたい存在だった。先のひとりが子供の愛にとってかけがえがないのと同じように、彼もまたかけがえがなかった。ひとりひとりの人間を特徴づけ、ひとつひとつの存在に意味をあたえる一回性と唯一性は、仕事や創造だけでなく、他の人やその愛にも言えるのだ。

このひとりひとりの人間にそなわっているかけがえのなさは、意識されたとたん、人間が生きるということ、生きつづけるということにたいして担っている責任の重さを、そっくりと、まざまざと気づかせる。自分を待っている仕事や愛する人間にたいする責任を自覚した人間は、生きることから降りられない。まさに、自分が「なぜ」存在するかを知っているので、ほとんどあらゆる「どのように」にも耐えられるのだ。

時宜にかなった言葉

収容所で集団を対象に精神的ケアをほどこす可能性はきわめて限られていた。これには言葉よりも効果のあるものがあった。模範だ。たとえば居住棟の班長の中に公正な人物がいたが、その毅然《きぜん》とした、見ているだけでも勇気づけられる存在は、ことあるごとに彼の統率下の被収容者に深く広く影響をおよぼしていた。存在、それも模範的存在の直接の影響は、言葉よりも大きいものだ。だが、なんらかの外的根拠を挙げて内的な共感をよびさますときには、言葉も有効だった。わたしは集団に話をし、外的状況を伝えて一居住棟のすべての被収容者に心の準備をさせ、精神的なケアに役立てたことがある。

あれは最悪の日だった。今しがたの点呼で、古い毛布を帯状に切り取ることも（即席にゲートルを作るのによく使った手口だ）、ほんのささいな「窃盗」も、今後すべてサボタージュと見なし、即刻、絞首刑をもって罰せられる、という布告がなされた。さて数日前、飢えかけた被収容者がじゃがいも倉庫に忍びこみ、数キロのじゃがいもを盗むという事件が起こった。侵入は露見し、被収容者たちは、「侵入者」がだれか、知っていた。収容所当局は、このことをどこかから聞きおよび、違反者の引き渡しを要求してきた。これを拒めば、収容所の全員に一日の絶食を課すという。もちろん、二千五百名の仲間は、ひとりを絞首台にゆだねるよりは断食のほうがましだと判断した。

この断食日の夕方、わたしたちはむき出しの土の床の居住棟にごろごろしていた。気分は最悪だった。ほとんど口をきく者もいない。なにか聞こえるとすれば、とげとげしい言葉だった。そこへ、停電が追い討ちをかけた。悪い雰囲気はここに極まった。居住棟の班長は賢明な男だったが、全員が耳をそばだてるような短い話をした。ここ数日に病死したり自殺したりした仲間のことを語ったのだ。そして、死因はさまざまでも、彼らの死のほんとうの原因は自己放棄だと言い、これについて、そしてどうしたら精神的な崩壊でつぎの犠牲者が出ることを未然に防げるか、少しばかり解説してもらいたいのだが、といってわたしを指名したのだ。

わたしは、心理学の視点から解説をしたり、居住棟の仲間に精神医として話をして、いわば医者としての立場から魂を教導するなどとんでもないという気分だった。寒さに凍え、空腹で、ぐったりとし、またいらいらしていた。だが、わたしは力をふりしぼって立ちあがり、このまたとない機会を利用した。なぜなら、今話をすることは、かつてないほど必要だったからだ。

医師、魂を教導する

こうして、わたしは語りはじめた。まず、とらわれのない目には、お先まっ暗だと映ってもしかたない、と言った。また、わたしたちはそれぞれに、自分が生き延びる蓋然性はきわめて低いと予測しているだろう、ともつけ加えた。収容所にはまだ発疹チフスはひろまっていなかったが、生存率は五パーセントと見積もっていた。そして、そのことを人びとに告げた。わたしは、にもかかわらずわたし個人としては、希望を捨て、投げやりになる気はない、とも言った。なぜなら、未来のことはだれにもわからないし、つぎの瞬間自分になにが起こるかさえわからないからだ。そして、たとえあしたにも劇的な戦況の展開が起こるとは期待できないとしても、収容所での経験から、すくなくとも個人のレベルでは大きなチャンスは前触れもなくやってくることを、わたしたちはよく知っている。たとえば、とびきり労働条件のいい特別中隊への小規模な移送団に思いがけなく編入されるとか、同じような羨望《せんぼう》の的《まと》の、被収容者を「幸福」で舞い上がらせるようなことは、いつも突然起こるのだ。

わたしは未来について、またありがたいことに未来は未定だということについて、さらには苦渋に満ちた現在について語ったが、それだけでなく、過去についても語った。過去の喜びと、わたしたちの暗い日々を今なお照らしてくれる過去からの光について語った。わたしは詩人の言葉を引用した。

「あなたが経験したことは、この世のどんな力も奪えない」

わたしたちが過去の充実した生活のなか、豊かな経験のなかで実現し、心の宝物としていることは、なにもだれも奪えないのだ。そして、わたしたちが経験したことだけでなく、わたしたちがなしたことも、わたしたちが苦しんだことも、すべてはいつでも現実のなかへと救いあげられている。それらもいつかは過去のものになるのだが、まさに過去のなかで、永遠に保存されるのだ。なぜなら、過去であることも、一種のあることであり、おそらくはもっとも確実なあることなのだ。

そしてわたしは最後に、生きることを意味で満たすさまざまな可能性について語った。わたしは仲間たちに語った。横たわる仲間たちはひっそりと静まり返り、ほとんどぴくりとも動かなかった。せいぜい、時折かすかにそれとわかるため息が聞こえるだけだった。人間が生きることには、つねに、どんな状況でも、意味がある、この存在することの無限の意味は苦しむことと死ぬことを、苦と死をもふくむのだ、とわたしは語った。そしてこの真っ暗な居住棟でわたしの話に耳をすましている哀れな人びとに、ものごとを、わたしたちの状況の深刻さを直視して、なおかつ意気消沈することなく、わたしたちの戦いが楽観を許さないことは戦いの意味や尊さをいささかも貶《おとし》めるものではないことをしっかりと意識して、勇気をもちつづけてほしい、と言った。わたしたちひとりひとりは、この困難なとき、そして多くにとっては最期の時が近づいている今このとき、だれかの促すようなまなざしに見下ろされている、とわたしは語った。だれかとは、友かもしれないし、妻かもしれない。生者かもしれないし、死者かもしれない。あるいは神かもしれない。そして、わたしたちを見下ろしている者は、失望させないでほしいと、惨《みじ》めに苦しまないでほしいと、そうではなく誇りをもって苦しみ、死ぬことに目覚めてほしいと願っているのだ、と。

そしてしめくくりとして、犠牲としてのわたしたちについて語った。いずれにしても、そのことに意味はあるのだ、と。犠牲の本質は、政治的理念のための自己犠牲であれ、他者のための自己犠牲であれ、この空《むな》しい世界では、一見なにももたらさないという前提のもとになされるところにある、と。もちろん、わたしたちのなかの信仰をもっている者には、それは自明のことだろうし、わたしもそのひとりだ、と。

わたしは、ひとりの仲間について語った。彼は収容所に入ってまもないころ、天と契約を結んだ。つまり、自分が苦しみ、死ぬなら、代わりに愛する人間には苦しみに満ちた死をまぬがれさせてほしい、と願ったのだ。この男にとって、苦しむことも死ぬことも意味のないものではなく、犠牲としてのこよなく深い意味に満たされていた。彼は意味もなく苦しんだり死んだりすることを望まなかった。わたしたちもひとり残らず、意味なく苦しみ、死ぬことは欲しない。この究極の意味をここ、この居住棟で、今、実際には見込みなどまるでない状況で、わたしたちが生きることにあたえるためにこそ、わたしはこうして言葉をしぼりだしているのだ、とわたしは語り納めた。

わたしの努力が報われたことを知ったのは、それからほどなくのことだった。居住棟の梁《はり》に電球がひとつともった。そしてわたしは、涙を浮かべてわたしのほうへ、礼を言おうとよろめき寄ってくるぼろぼろの仲間の姿を見たのだ。しかし、この夜のように、苦しみをともにする仲間の心の奥底に触れようとふるい立つだけの精神力をもてたのはごくまれなことで、こうした機会はいくらでもあったのにそれを利用しなかったことを、わたしはここで告白しなければならない。

収容所監視者の心理

収容当時のショック、本来の収容所生活の心理と述べてきて、これから被収容者の心理的反応の第三期、つまり収容所を解放されたときの心理について述べるわけだが、その前に、もうひとつの特殊な問題を取りあげたい。つまり、心理学者ならだれしも、そしてこういうことをみずから経験した者ならなおのこと関心のある、収容所監視者の心理だ。なぜ血の通った人間がほかの人間に、この報告にあるようなことができたのか。こうした報告を聞いて、そのとおりに受けとめ、そのようなことがありうると知った者は、では心理的にどうしたらそんなことができるのか、とたずねるのだ。

この問題に深入りするつもりはないが、問いに答えるには、まずつぎのふたつの指摘をしなければならない。つまり、収容所の監視兵のなかには、厳密に臨床的な意味での強度のサディストがいた、ということがひとつ。そして、選り抜きの監視隊を編成するときにはサディストが求められた、ということがふたつである。被収容者のなかからカポーを任命する目的でおこなわれるような、共犯者や刑吏の手下を人間として劣悪な順に選ぶ選抜についてはすでに述べたが、言うまでもなくそこでは残酷な輩《やから》や保身にこりかたまった連中が選ばれた。収容所でのこの下位からの選抜は、サディストの上位からの選抜にほかならなかった。

厳寒の作業現場で、わたしたちは壕《ごう》の底にいた。着ているものはほとんど防寒の役に立たなかった。順番におよそ二時間ごとに数分、戸外にしつらえられ、枝や木《こ》っ端《ぱ》を焚きつけたストーブにあたる許可がもらえた。そんなとき、わたしたちがこぞって大喜びしたのは言うまでもない。だが、この喜びを取りあげることに快楽を覚える現場監督や監視兵がかならずいた。気分次第でだめだと言ったり、みごとに炎をあげている焚きつけごとストーブを雪のなかにひっくり返すその表情からは、サディスティックな満足感がありありと読み取れた。また、親衛隊《SS》員たちはだれかが気に食わないと、その哀れな被収容者を配下のある男に引き渡した。この男は、手加減を知らないサディスティックな虐待に長《た》けていることで知られていた。

三番めに指摘されるのは、収容所の監視者の多くが、収容所内で繰り広げられるありとあらゆる嗜虐《しぎゃく》行為を長年、見慣れてしまったために、薬の服用量がだんだん多くなるのに似て、すっかり鈍感になっていた、ということだ。この鈍感になり、心が干乾びてしまった人びとの多くは、すくなくとも進んでサディズムに荷担はしなかった。しかし、それがすべてだ。彼らはほかの連中のサディズムになんら口をはさまなかった。

四番めに挙げられるのは、収容所の監視者のなかにも役割から逸脱する者はいた、ということだ。ここでは、わたしが最後に送られ、そこから解放された収容所の所長のことにだけふれておこう。彼は親衛隊員だった。当時は収容所の医師（やはり被収容者だった）しか知らず、解放後に明らかになったことだが、この所長はこっそりポケットマネーからかなりの額を出して、被収容者のために近くの町の薬局から薬品を買って来させていた。

これには後日譚《たん》がある。解放後、ユダヤ人被収容者たちはこの親衛隊員をアメリカ軍からかばい、その指揮官に、この男の髪の毛一本たりともふれないという条件のもとでしか引き渡さない、と申し入れたのだ。アメリカ軍指揮官は公式に宣誓し、ユダヤ人被収容者は元収容所長を引き渡した。指揮官はこの親衛隊員をあらためて収容所長に任命し、親衛隊員はわたしたちの食糧を調達し、近在の村の人びとから衣類を集めてくれた。

いっぽう、この同じ収容所の被収容者の班長は、収容所の親衛隊員からなる監視者のだれよりもきびしかった。この班長は、時と所を問わず、また手段も選ばずに、手当たり次第に被収容者を殴った。他方、たとえば先の所長は、わたしの知るかぎりではただの一度も「彼の」被収容者に手を上げたことはなかった。

このことから見て取れるのは、収容所監視者だということ、あるいは逆に被収容者だということだけでは、ひとりの人間についてなにも語ったことにはならないということだ。人間らしい善意はだれにでもあり、全体として断罪される可能性の高い集団にも、善意の人はいる。境界線は集団を越えて引かれるのだ。したがって、いっぽうは天使で、もういっぽうは悪魔だった、などという単純化はつつしむべきだ。事実はそうではなかった。収容所の生活から想像されることに反して、監視者として被収容者に人間らしくたいすることは、つねにその人個人のなせるわざ、その人のモラルのなせるわざだった。そのいっぽうで、みずからが苦労をともにしている仲間に悪をなす被収容者の卑劣な行為は、ことのほか非難されるべきだ。品位を欠くこうした人間が被収容者を苦しめたことは、他方、監視者が示したほんの小さな人間らしさを、被収容者が深い感動をもって受けとめたことと同じように明らかだ。

たとえば、こんなことがあった。現場監督（つまり被収容者ではない）がある日、小さなパンをそっとくれたのだ。わたしはそれが、監督が自分の朝食から取りおいたものだということを知っていた。あのとき、わたしに涙をぼろぼろこぼさせたのは、パンという物ではなかった。それは、あのときこの男がわたしにしめした人間らしさだった。そして、パンを差し出しながらわたしにかけた人間らしい言葉、そして人間らしいまなざしだった……。

こうしたことから、わたしたちは学ぶのだ。この世にはふたつの人間の種族がいる、いや、ふたつの種族しかいない、まともな人間とまともではない人間と、ということを。このふたつの「種族」はどこにでもいる。どんな集団にも入りこみ、紛れこんでいる。まともな人間だけの集団も、まともではない人間だけの集団もない。したがって、どんな集団も「純血」ではない。監視者のなかにも、まともな人間はいたのだから。

強制収容所の生活が人間の心の奥深いところにぽっかりと深淵を開いたことは疑いない。この深みにも人間らしさを見ることができたのは、驚くべきことだろうか。この人間らしさとは、あるがままの、善と悪の合金とも言うべきそれだ。あらゆる人間には、善と悪をわかつ亀裂が走っており、それはこの心の奥底にまでたっし、強制収容所があばいたこの深淵の底にもたっしていることが、はっきりと見て取れるのだ。

わたしたちは、おそらくこれまでどの時代の人間も知らなかった「人間」を知った。では、この人間とはなにものか。人間とは、人間とはなにかをつねに決定する存在だ。人間とは、ガス室を発明した存在だ。しかし同時に、ガス室に入っても毅然《きぜん》として祈りのことばを口にする存在でもあるのだ。

第三段階　収容所から解放されて

いよいよ強制収容所の心理学の最後の部分に向き合うことにしよう。収容所を解放された被収容者の心理だ。

解放の経験を記述しようとすれば、おのずと非個人的なものにはなりえない。すでに述べた極度の緊張の数日を過ごしたのち、ある朝、収容所のゲートに白旗がひるがえったあの時点から語り起こしたいと思う。この精神的な緊張のあとを襲ったのは、完全な精神の弛緩だった。わたしたちが大喜びしただろうと考えるのは間違いだ。では当時、実情はいったいどうだったのだろう。

疲れた足を引きずるように、仲間たちは収容所のゲートに近づいた。もう立っていることもできないほどだったのだ。仲間たちはおどおどとあたりを見回し、もの問いたげなまなざしを交わした。そして、収容所のゲートから外の世界へとおずおずと第一歩を踏み出した。号令も響かない。鉄拳や足蹴りを恐れて身をちぢこませることもない。ああ、それどころか、収容所監視兵のひとりに至っては、煙草を差し出したのだ。わたしたちは監視兵たちをにわかに判別できなかった。手回しよく、いつのまにか平服に着替えていたからだ。

わたしたちは、ゲートから続く道をのろのろと進んでいった。早くもひとりは足が痛んで、歩くのも容易ではなくなった。さらにわたしたちは足を引きずって、ゆっくりと歩いていった。収容所のまわりの景色を見てみたい。いや、自由人として初めて見てみたい。わたしたちは自然のなかへと、自由へと踏み出していった。「自由になったのだ」、と何度も自分に言い聞かせ、頭のなかで繰り返しなぞる。だが、おいそれとは腑《ふ》に落ちない。自由という言葉は、何年ものあいだ、憧《あこが》れの夢のなかですっかり手垢《てあか》がつき、概念として色あせてしまっていた。そして現実に目《ま》の当たりにしたとき、霧散してしまったのだ。現実が意識のなかに押し寄せるには、まだ時間がかかった。わたしたちは、現実をまだそう簡単にはつかめなかった。

牧草地までやってきた。野原いちめんに花が咲いている。そういうことはよくわかる。だが「感情」にはたっしない。歓喜の最初の小さな火花が飛び散ったのは、色鮮やかなみごとな尻尾の雄鶏を見たときだった。だが、この歓喜の火花も一瞬で消えた。わたしたちはいまだにこの世界に参入を果たしていなかった。それから、ひともとのマロニエの木陰の、小さなベンチに腰をおろした。ところがなんとしたことか、わたしたちの表情にはなんの変化もない。やっぱり。わたしたちはまだこの世界からなにも感じない。

夜、仲間はもとのむき出しの土間の居住棟にもどってきた。ひとりがもうひとりに近づいて、こっそりたずねる。

「なあ、ちょっと訊《き》くけど、きょうはうれしかったか？」

すると、訊かれたほうはばつが悪そうに、というのは、みんなが同じように感じているとは知らないからだが、答える。

「はっきり言って、うれしいというのではなかったんだよね」

わたしたちは、まさにうれしいとはどういうことか、忘れていた。それは、もう一度学びなおさなければならないなにかになってしまっていた。

解放された仲間たちが経験したのは、心理学の立場から言えば、強度の離人症だった。すべては非現実で、不確かで、ただの夢のように感じられる。にわかには信じることができないのだ。ここ数年、頻繁に、あまりに頻繁に、わたしたちは夢に弄《もてあそ》ばれすぎた。自由に動き回れる日の朝が明けることを、どれほど夢にみたことか。ある日うちに帰り、友人たちに、帰ってきたよ、と言い、妻を抱く。ともに食卓を囲んで、そして語りはじめるのだ。ここ数年、自分の身になにが起こったのか、そしてふたたび会える今日この日がほんとうにやってきたのだということを、何度夢で先取りしたことか。すると、「起床」を告げる号笛《ごうてき》が三度、耳をつんざき、自由をそれこそ無数回めに味わわせてくれた夢からむりやり引き離された。そして今、さあ信じろ、と言われているのだ。今この自由は、はたしてほんとうに現実なのだろうか。

だが、その日は来たのだ。体は精神ほどにはがんじがらめになっていなかった。待ってましたとばかりに、体はのっけからこの現実を利用した。文字通り、現実につかみかかった。つまり、わたしたちはがつがつとむさぼり食ったのだ。わたしたちは何時間も、何日も食べた。それが深夜に及ぶこともざらだった。人はどれだけ食べることができるのか、信じがたいほどだった。解放された被収容者のだれかれが収容所近くの親切な農家に招かれると、彼はまず食べ、コーヒーを飲んでから、ようやく舌が滑らかになり、そして語りはじめるのだった。何時間もかかる、彼の物語を。何年ものあいだ、重くのしかかっていた抑圧から解放されたのだ。彼が語るようすは、まるで心理的強迫であるかのようだった。それほどに、彼は語らずにはいられないのであり、話さずにはいられないのだ（たとえ短いあいだでもきびしい重圧のもとにあった人、たとえば秘密国家警察《ゲシュタポ》の尋問《じんもん》にあった人にも同じようなことが観察されることが知られている)。

数日が経過し、さらに何日も過ぎて、舌がほぐれるだけでなく、内面でなにかが起こる。突然、それまで感情を堰《せ》き止めていた奇妙な柵を突き破って、感情がほとばしるのだ。

解放後、何日かたったある日、あなたは広い耕作地を越え、花の咲き乱れる野原をつっきって、収容所から数キロ離れた小さな町まで歩いていく。あなたは雲雀《ひばり》があがり、空高く飛びながら歌う讃歌が、歓喜の歌が空いちめんに響きわたるのを聞く。見渡すかぎり、人っ子ひとりいない。あなたを取り巻くのは、広大な天と地と雲雀の歓喜の鳴き声だけ、自由な空間だけだ。あなたはこの自由な空間に歩を運ぶことをふとやめ、立ち止まる。あたりをぐるりと見回し、頭上を見上げ、そしてがっくりと膝をつくのだ。この瞬間、あなたはわれを忘れ、世界を忘れる。たったひとつの言葉が頭のなかに響く。何度も何度も、繰り返し響く。

「この狭きよりわれ主を呼べり、主は自由なるひろがりのなか、われに答へたまへり」

どれほど長いことその場にひざまずいていたのか、何度この言葉を繰り返したか、もう憶えてはいない……だがこの日この時、あなたの新しい人生は始まったのだ、ということだけは確かだ。そして一歩また一歩と、ほかでもないこの新しい人生に、あなたは踏みこんでいく。あなたはふたたび人間になったのだ。

放免

収容所生活最後の日々の極度の精神的緊張からの道、この神経戦から心の平和へともどる道は、けっして平坦ではなかった。強制収容所から解放された被収容者はもう精神的なケアを必要としないと考えたら誤りだ。まず考慮すべきは、つぎの点だ。長いこと空恐ろしいほどの精神的な抑圧のもとにあった人間、つまりは強制収容所に入れられていた人間は、当然のことながら、解放されたあとも、いやむしろまさに突然抑圧から解放されたために、ある種の精神的な危険に脅かされるのだ。この（精神衛生の観点から見た）危険とは、いわば精神的な潜水病にほかならない。潜函《せんかん》労働者が（異常に高い気圧の）潜函から急に出ると健康を害するように、精神的な圧迫から急に解放された人間も、場合によっては精神の健康を損ねるのだ。

とくに、未成熟な人間が、この心理学的な段階で、あいかわらず権力や暴力といった枠組にとらわれた心的態度を見せることがしばしば観察された。そういう人びとは、今や解放された者として、今度は自分が力と自由を意のままに、とことんためらいもなく行使していいのだと履《は》き違えるのだ。こうした幼稚な人間にとっては、旧来の枠組の符合が変わっただけであって、マイナスがプラスになっただけ、つまり、権力、暴力、恣意、不正の客体だった彼らが、それらの主体になっただけなのだ。この人たちは、あいかわらず経験に縛られていた。

このような事態は、些細なことをつうじて明らかになった。たとえば、ある仲間とわたしは、ついこのあいだ解放された収容所に向けて、田舎道を歩いていた。わたしたちの前に、芽を出したばかりの麦畑が広がった。わたしは思わず畑をよけた。ところが、仲間はわたしの腕をつかむと、いっしょに畑をつっきって行ったのだ。わたしは口ごもりながら、若芽を踏むのはよくないのでは、というようなことを言った。すると、仲間はかっとなった。その目には怒りが燃えていた。仲間はわたしをどなりつけた。

「なんだって？　おれたちがこうむった損害はどうってことないのか？　おれは女房と子どもをガス室で殺されたんだぞ。そのほかのことには目をつぶってもだ。なのに、ほんのちょっと麦を踏むのをいけないだなんて……」

不正を働く権利のある者などいない、たとえ不正を働かれた者であっても例外ではないのだというあたりまえの常識に、こうした人間を立ちもどらせるには時間がかかる。そして、こういう人間を常識へとふたたび目覚めさせるために、なんとかしなければならない。このような取り違えは、どこかの農家が数千粒の麦をふいにするよりももっと始末の悪い結果を招きかねないからだ。今もまざまざと思い出すのは、収容所でいっしょだったある仲間だ。彼はシャツの袖をまくり上げ、むき出しの右腕をわたしの顔につきつけて、こうどなりつけたのだ。

「うちに帰った日にこの手が血で染まらなかったら、切り落とされたっていい!」

強調しておきたいのは、こんな暴言を吐いた男はけっしてたちの悪い人間ではなく、収容所でも、またその後も、いちばんいい仲間だったということだ。

精神的な抑圧から急に解放された人間を脅《おびや》かすこの心の変形とならんで、人格を損ない、傷つけ、ゆがめるおそれのある深刻な体験があとふたつある。自由を得てもとの暮らしにもどった人間の不満と失意だ。不満の原因は、収容所を解放された者が、もとの生活圏で世間と接触して引き起こされる、さまざまなことである。つまり、ふるさとに帰ってきて気づくのは、そこかしこで会う人たちが、せいぜい肩をすくめるか、おざなりの言葉をかけてくるかだ、ということだ。すると、彼の不満はふくれ上がり、いったいなんのために自分はあのすべてを耐え忍んだのだ、という懐疑に悩まされることになる。どこに行っても、「なんにも知らなかったもんで……」とか、「こっちも大変だったんですよ」とかの決まり文句を聞かされると、自分に向かってそんなことしか言えないのか、と考えこんでしまうのだ……。

失意という深刻な体験には、また別の事情がからんでいる。これは世間の人びとがうわべだけで心ないことにぎょっとして、そんな連中とはもう会わずにすませ、声も聞かずにすませるためにどこかにひっこんでしまいたいと思うこととは関係ない。失意という体験では、自分がゆだねられていると感じる運命が問題なのだ。すなわち、自分は考えられるかぎりの苦悩のどん底にたっしたと、何年ものあいだ信じていた人間が、いまや苦悩は底無しで、ここがもっとも深いということはないのだと、そしてもっともっと深く、もっともっと落ちていくことがありうるのだ、と見定めてしまうのだ……。

先に述べたように、強制収容所の人間を精神的にしっかりさせるためには、未来の目的を見つめさせること、つまり、人生が自分を待っている、だれかが自分を待っていると、つねに思い出させることが重要だった。ところがどうだ。人によっては、自分を待つ者はもうひとりもいないことを思い知らなければならなかったのだ……。

収容所で唯一の心の支えにしていた愛する人がもういない人間は哀れだ。夢にみて憧《あこが》れの涙をさんざん流したあの瞬間が今や現実になったのに、思い描いていたのとは違っていた、まるで違っていた人間は哀れだ。町の中心部から路面電車に乗り、何年も心のなかで、心のなかでのみ見つめていたあの家に向かい、呼び鈴のボタンを押す。数え切れないほどの夢のなかで願いつづけた、まさにそのとおりだ……しかし、ドアを開けてくれるはずの人は開けてくれない。

その人は、もう二度とドアを開けない……。

収容所にいたすべての人びとは、わたしたちが苦しんだことを帳消しにするような幸せはこの世にはないことを知っていたし、またそんなことをこもごもに言いあったものだ。わたしたちは、幸せなど意に介さなかった。わたしたちを支え、わたしたちの苦悩と犠牲と死に意味をあたえることができるのは、幸せではなかった。にもかかわらず、不幸せへの心構えはほとんどできていなかった。少なからぬ数の解放された人びとが、新たに手に入れた自由のなかで運命から手渡された失意は、のりこえることがきわめて困難な体験であって、精神医学の見地からも、これを克服するのは容易なことではない。そうは言っても、精神医をめげさせることはできない。その反対に、奮い立たせる。ここには使命感を呼び覚ますものがある。

そしていつか、解放された人びとが強制収容所のすべての体験を振り返り、奇妙な感覚に襲われる日がやってくる。収容所の日々が要請したあれらすべてのことに、どうして耐え忍ぶことができたのか、われながらさっぱりわからないのだ。そして、人生には、すべてがすばらしい夢のように思われる一日（もちろん自由な一日だ）があるように、収容所で体験したすべてがただの悪夢以上のなにかだと思える日も、いつかは訪れるのだろう。ふるさとにもどった人びとのすべての経験は、あれほど苦悩したあとでは、もはやこの世には神よりほかに恐れるものはないという、高い代償であがなった感慨によって完成するのだ。

『夜と霧』と私——旧版訳者のことば

霜山徳爾

本書は一九五六年に初版を世に出した。訳者はその前年まで、西ドイツ政府留学生として在独していた。その前は十五年戦争と狂信的な国家主義の時代と、治安維持法下の恐怖の世界があり、その上、さらに三年間の戦場の生活があった。西ドイツ政府留学生に選ばれた時には三十歳を過ぎていた。その在独中に著者フランクルの「或る心理学者の強制収容所体験」という粗末な紙の書物に出会い、いたく心をひかれ、邦訳の許しを得るために、私はウィーンに彼を訪ねた。

著者ヴィクトール・E・フランクルはウィーンに生れ、フロイト、アドラーに師事して精神医学を学び、ウィーン大学医学部神経科教授であり、また同時にウィーン市立病院神経科部長を兼ね、臨床家としてその識見が高く買われているばかりでなく、また同時に理論家として、精神分析学のいわゆる「第三ウィーン学派」として、また独自の「実存分析」を唱え、ドイツ語圏では知られていた人である。また戦後はアメリカ合衆国およびラテンアメリカ諸国によく招聘《しょうへい》され、各地で学術講演をする他に、ジャーナリズムでも精力的に活動していた。

このような少壮の精神医学者として嘱目《しょくもく》され、ウィーンで研究をしていた彼は、最愛の妻にもめぐまれて、平和な生活が続いていた。しかし、この平和はナチスのオーストリア併合以来破れてしまった。

なぜならば、彼はユダヤ人であったから。ただそれだけの理由で、彼の一家は他のユダヤ人と共に逮捕され、あの恐るべき集団殺人の組織と機構を持つアウシュヴィッツ等に送られた。そしてここで彼の両親と妻は、或いはガスで殺され、或いは餓死した。彼だけが、この記録の示すような凄《せい》惨《さん》な生活を経て、高齢まで生きのびることができたのである。

私はウィーンに彼を訪れた時のことを想起する。あらかじめ手紙で、面会とその目的を求めていたこともあって、彼は暖かな心からの親切で、この極東の無名の一心理学者をもてなしてくれた。病棟の案内から臨床の陪席まで、数日のウィーン滞在中、あらゆる便宜を私のために計ってくれた。また思想的にも彼はあらゆるヘブライズム的なものから自由であったし、ヒューマニスティックな暖かい良識で、すべての人々をつつんでいた。従って医師というよりは一人の思想家として、キリスト教的世界から大きな親和性をもって迎えられていた。彼の理論にはマックス・シェーラーの影響の色が濃く、体系的にマルチン・ハイデッガーなどの影響から少し距離をとったものであった。それでもハイデッガーがウィーンに訪れてきた時に、フランクルに"Das Vergangene geht, Das Gewesene kommt."と書き残したように(これは邦訳は少し困難である)、広義にいえば精神医学上の「人間学派」とも称することができるかもしれない。

フランクルの理論はきわめて判り易いのがその特色であるが、それよりもつくづくと感心したのは、彼の臨床的手腕であり、患者の世界との巧みで早い「間《ま》のとり方」などは天才的でまことに勉強になった。

かくして快活、率直な彼の魅力的な人柄にひかれ、私は彼と十年の知己のごとく親密になった。その内で最も印象的だったのは、或る夜、彼に招かれて、ウィーン郊外の有名な旗亭《きてい》アントン・カラスで、ワインの盃《さかずき》を傾けながら、彼からアウシュヴィッツでの語られざる話を聞いた時であった。謙遜で飾らない彼の話の中で、私を感動させたのは、アウシュヴィッツでの他の多くの苦悩の事実ばかりでなく、彼がこの地上の地獄の内ですら失なわなかった、堅い良心とやさしい人間愛であった。それは良質のワインの味すらも、全く消し去るほどのものであった。

帰途、なにかのことで音楽の話題になり、彼は自分の好きな音楽の一つとして、グスタフ・マーラーの「大地の歌」をあげた。これは中国の詩の独訳に作曲した(彼の第九交響曲ともいわれる)異色のフル・オーケストラの名曲である。それは私もきわめて好んでいる曲であった。偶然の一致を喜んだ彼と私は、暗い夜道で、迷惑もかからないので、一緒に歌うことになった。「大地の歌」といっても、その最初の一章「大地の哀愁にそそぐ酒の歌」であった。各節に「生も昏《くら》し、死も暗く」という哀しく美しい旋律のリフレインがついている。それを共に歌いながら帰ってきたのだが、明るく強い彼の言葉に陰翳《いんえい》のようにあるもの、彼の世界観の深い底にある哀しさ、を示しているかのようであった。

また別な日にこの度は彼の自宅に招かれたが、質素で、全く目ぼしい家具もない（恐らく一切を失なったせいであろう）一室で、彼が強制労働をただ一度休めた発疹チフスの高熱を利用して、一挙にひそかに書きすすんだという学術原稿を見せてもらったが、数十枚の小さな汚れた紙片に、速記の記号で、びっしりと細かく書かれてあるのを見た時、もし自分がアウシュヴィッツに送られたら、果してそれだけの勇気と、それだけの学問への愛があったであろうか、と反省せざるをえなかった。

フランクルは何回も訪日しているが、最初は私たちの招待であった。私たちも貧しかったので、羽田空港にハイヤーを手配するようなことはできなかった。羽田では、これ以上古いルノーはないというような私の小さなルノー車の助手席に彼を押し込んでホテルに向かった。私の願いはどうぞルノーが故障しないようにということであった。それほど古く、ちょっとした昇り坂でもエンジンはすぐ「咳《せき》」をしだす有様で、私は隣のフランクルにもし怪我でもあったらどうしようとしきりに気になった。彼に向かって車が狭くて申し訳ないというと、彼は真顔《まがお》でこれだけのスペースがあれば充分だと答えた。(事実、彼は高齢になってから、やっと中古の小型車を買うことができて、子供のように喜んでいたそうである。)

翌日、フランクルは講演の直前に私に用があるというので行ってみると、濃いストレートのコーヒーを二杯続けてのませて欲しいとのことで、早速手配したが、彼の熱心で強い説得力は、このように、カフェインに助けられ、懸命に訴えられているのは哀しみでもあった。

このような超国家主義の悲劇は、周知のように本邦にも存在し、多くの死と不幸を人々にもたらした。軍閥は相克しつつ堕落し、良識ある国民、特に知識階級に対しては、国家神道の強制、および治安維持法による(ナチスに負けない)残忍な逮捕、無期限な留置、拷問、懲役、で「転向」を強制するのであった。戦争の末期に至るや、「特攻」作戦と称して強制的な命令によって、あらゆる中古機、練習機、古い水上機などを主として、これを爆装して、陸海軍合せてなんと七千名の少年兵出身で、やっと操縦できる程度の練度の低いパイロットをのせて、いわゆる、「神風《しんぷう》」の体当たり作戦に投じ、ほとんど全滅であった。この無法な作戦の上奏に対して、天皇が許可しなければそれまでであった。しかし彼は黙認してしまった。私には未だに血の逆流する想いが断ちきれない。フランクルの書はこの時、「大いなる慰め」である。

しかし時間は、そして歴史は遠慮なく流れていく。一生忘れられない戦前の屈辱と戦後の貧富の間には、戦中の烈しい砲弾の爆裂音のトラウマを残しながら、時代は変って行った。

あの愚かしい太平洋戦争の絶望的な砲火硝煙《しょうえん》の戦場体験を持つ者は、今や七十歳代の終りから私のように八十歳前半までの老残の人間のみである。どうしても骨っぽい、ごつごつした文体になってしまう。またそれはアウシュヴィッツの現場をみた者には避けられないことかもしれない。

それに対して、新訳者の平和な時代に生きてきた優しい心は、流麗な文章になるであろう。いわゆる"anständig"な（これは色々なニュアンスがあって訳しにくいが「育ちのよい」とでもいうべきか）文字というものは良いものである。半世紀の間、次々と読者に愛された本書が、さらにまた読みつがれるように、心から一路平安を祈るものである。

二〇〇二年九月

訳者あとがき

本書は、*…trotzdem Ja zum Leben sagen*（Kösel-Verlag, München 1977）所収の“Ein Psychologe erlebt das Konzentrationslager”を訳出したものである。タイトルはそれぞれ、『……それでも生にしかりと言う』、「心理学者、強制収容所を体験する」というほどの意味だ。

この作品は『夜と霧』というタイトルですでに半世紀近くも読み継がれてきた。霜山徳爾氏による誠実な翻訳は、敗戦直後という歴史の徴《しるし》を帯び、今なお輝きを失わない。ある全国紙が二〇〇〇年の年末におこなった「読者の選ぶ二十一世紀に伝えるあの一冊」という大がかりなアンケートで、翻訳ドキュメント部門の第三位に挙げられたと記憶するが、それも、この本がこのくにの戦後の精神風土に与えた影響の大きさを物語っている。

若いころこの本に出会って深く感動し、影響を受けた者はおびただしい数にのぼるだろう。私もその一人だ。高校生のときに読んで震撼《しんかん》し、そこにうねる崇高とも言うべき思念の高潮に持ち上げられ、人間性の未聞《みもん》の高みを垣間見た思いがした。

それを今なぜ改めて訳すのか。不審に思われる方もおられるだろう。私自身も、最初は荒唐無稽《こうとうむけい》な話だと思った。遠く学恩に浴してきた霜山訳に、そのようなことは断じてできない、とも思った。けれど、今この本を若い人に読んでもらいたい、という編集者の熱意に心を動かされ、また霜山氏から思いがけない励ましをいただいて、僭越《せんえつ》は百も承知で改訳をお引き受けした。

けれど、これは訳すべきだった、というのが、訳了した感想だ。なぜなら、霜山氏が準拠した一九四七年刊の旧版とこのたび訳出した一九七七年刊の新版では、かなりの異同があったからだ。

細かいことから言うと、旧版には多出した「モラル」ということばが、新版からはほとんどすべて削られている。残ったのは二カ所だけだ。その真意は推し量るしかないが、ここで扱われるべきは精神医学であり、さらにはより根源的な人間性なのだ、とする筆者の考え方がそうさせたのではないか。時をおいて旧版を検証したとき、フランクルは、冷静な科学者の立場から書いたつもりが、その実、それらの箇所ではやや主情的な方向に筆がすべったと見たのではないか。しかし、私は旧版は旧版として擁護したい。これが書かれたのは、収容所解放直後と言っていい時期だ。「モラル」と書きたくなるのも当然ではないか。モラルの荒廃を目の当たりにした無惨な経験に、ここまで冷静に向き合った筆者の精神力には胸を衝《つ》かれるものがある。

旧版と新版のもっとも大きな違いは、旧版にまつわる驚くべき事実から語り起こさなければならない。旧版には、「ユダヤ」という言葉が一度も使われていないのだ。「ユダヤ人」も「ユダヤ教」も、ただの一度も出てこない。かつて何度か読んだときには、このような重大なことにまったく気づかなかった。

まずなにより、フランクルはこの記録に普遍性を持たせたかったから、そうしたのだろう。一民族の悲劇ではなく、人類そのものの悲劇として、自己の体験を提示したかったのだろう。さらにフランクルは、ナチの強制収容所にはユダヤ人だけでなく、ジプシー（ロマ）、同性愛者、社会主義者といったさまざまな人びとが入れられていた、ということを踏まえていたのではないだろうか。このことに気づいたときは、思わず姿勢を正したくなるような厳粛な衝撃を受けた。

ところが新版では、新たに付け加えられたエピソードのひとつに、「ユダヤ人」という表現が二度出てくる（一四二ページ）。ついにアメリカ軍と赤十字がやってきて収容所を管理下においたとき、ユダヤ人グループが収容所長の処遇をめぐってアメリカ軍司令官と交渉した、という逸話である。彼らユダヤ人は、この温情的な所長をかばったのだ。

ここに敢えて「ユダヤ人被収容者たち」と名指ししたのはなぜか。それまでの書き方を踏襲するなら、ただの「被収容者たち」になったはずだ。ここからは、改訂版を出すことにした著者の動機に直結する事情が伺えるのではないだろうか。つまり、改訂版が出た一九七七年は、イスラエルが諸外国からのユダヤ人移住をこれまでに増して奨励しはじめた年だ。それは、一九七三年十月の第四次中東戦争でアラブ側がはじめて勝利したことを受けて、国力増強のためにとられた政策だった。そう、一九四八年の「イスラエル建国」と同時に勃発した第一次中東戦争から三十年足らずの間に、この地は四度も戦火に見舞われたのだ。戦争とカウントされなくても、流血の応酬はひきもきらず、難民はおびただしく流出しつづけた。パレスティナは、世界でもっとも人間の血を吸いこんだ土地になった。

そのような同時代史がフランクルの目にどのように映ったかは、この本の読者なら想像に難《かた》くない。さらにあいにくなことに、十七カ国語に訳された『夜と霧』は、アンネ・フランクの『日記』とならんで、作者たちの思いとは別にひとり歩きし、世界の人びとにたいしてイスラエル建国神話をイデオロギーないし心情の面から支えていた、という事情を、フランクルは複雑な思いで見ていたのではないだろうか。

だからこの時期、『夜と霧』の作者は、立場を異にする他者同士が許しあい、尊厳を認めあうことの重要性を訴えるために、この逸話を新たに挿入し、憎悪や復讐に走らず、他者を公正にもてなした「ユダヤ人被収容者たち」を登場させたかったのだ、と私は見る。ちなみに、この逸話が語っている収容所には、解放時わずかな被収容者しか残っておらず、フランクルは医師として、対立がますます深刻化しようとしていた彼らを束ねる立場にあった。したがって、所長擁護はフランクル自身が主導したと見て間違いない。その主体を「たち」と複数で語っているのは、作者の謙譲はもちろんだが、それがユダヤ人の集団的行為だった、と強調したかったのではないか。
受難の民は度を越して攻撃的になることがあるという。それを地でいくのが、二十一世紀初頭のイスラエルであるような気がしてならない。フランクルの世代が断ち切ろうとして果たせなかった悪の連鎖に終わりをもたらす叡知《えいち》が、今、私たちに求められている。そこに、この地球の生命の存続は懸《か》かっている。

このたびも、日本語タイトルは先行訳に敬意を表して『夜と霧』を踏襲した。これは、一九四一年の総統令にナチス自身がつけた通称で、占領地の反ドイツと目された政治家や活動家を連行せよ、という命令だった。彼らの多くは行方不明になった。まさに、夜と霧に消えたのだ。しかし、フランクルの思いとはうらはらに、夜と霧はいまだ過去のものではない。相変わらず情報操作という「アメリカの夜」（人工的な夜を指す映画用語）が私たちの目をくらませようとしている今、私たちは目覚めていたい。夜と霧が私たちの身辺にたちこめることは拒否できるのだということを、忘れないでいたい。その一助となることを心から願い、先人への尊敬をこめて、本書を世に送る。

二〇〇二年九月三十日

池田香代子

著者略歴

(Viktor Emil Frankl, 1905–1997)

1905年, ウィーンに生まれる. ウィーン大学卒業. 在学中よりアドラー, フロイトに師事し, 精神医学を学ぶ. 第二次世界大戦中, ナチスにより強制収容所に送られた体験を, 戦後まもなく『夜と霧』に記す. 1955年からウィーン大学教授. 人間が存在することの意味への意志を重視し, 心理療法に活かすという, 実存分析やロゴテラピーと称される独自の理論を展開する. 1997年9月歿. 著書『夜と霧』『死と愛』『時代精神の病理学』『精神医学的人間像』『識られざる神』『神経症』(以上, 邦訳, みすず書房)『それでも人生にイエスと言う』『宿命を超えて, 自己を超えて』『フランクル回想録』『〈生きる意味〉を求めて』『制約されざる人間』『意味への意志』(以上, 邦訳, 春秋社).

訳者略歴

池田香代子〈いけだ・かよこ〉 1948年東京生まれ. ドイツ文学翻訳家. 主な著書に『哲学のしずく』(河出書房新社, 1996)『魔女が語るグリム童話』(正は宝島社, 1999, 続は洋泉社, 1998)『世界がもし100人の村だったら』(マガジンハウス, 2001)『花ものがたり』(毎日新聞社, 2002) など. 主な翻訳にゴルデル『ソフィーの世界』(NHK出版, 1996),『完訳クラシック　グリム童話』(全5巻, 講談社, 2000) などがある.『猫たちの森』(早川書房, 1996) で第1回日独翻訳賞受賞 (1998).

http://www09.u-page.so-net.ne.jp/pf6/kayoko-i/
hon-yaku@abox4.so-net.ne.jp

ヴィクトール・E・フランクル
夜と霧
新版
池田香代子訳

2002年11月5日　第1刷発行
2019年3月25日　第35刷発行

発行所　株式会社 みすず書房
〒113-0033 東京都文京区本郷2丁目20-7
電話 03-3814-0131(営業) 03-3815-9181(編集)
www.msz.co.jp

本文印刷所　理想社
扉・表紙・カバー印刷所　リヒトプランニング
製本所　松岳社

Printed in Japan
ISBN 4-622-03970-2
［よるときり］

父が子に語る世界歴史

全8巻

ジャワーハルラール・ネルー　大山聰訳

1	文明の誕生と起伏	2700
2	中　世　の　世　界	2700
3	ルネサンスから産業革命へ	2700
4	激動の十九世紀	2700
5	民主主義の前進	2700
6	第一次世界大戦と戦後	2700
7	中東・西アジアのめざめ	2700
8	新たな戦争の地鳴り	2700

（価格は税別です）